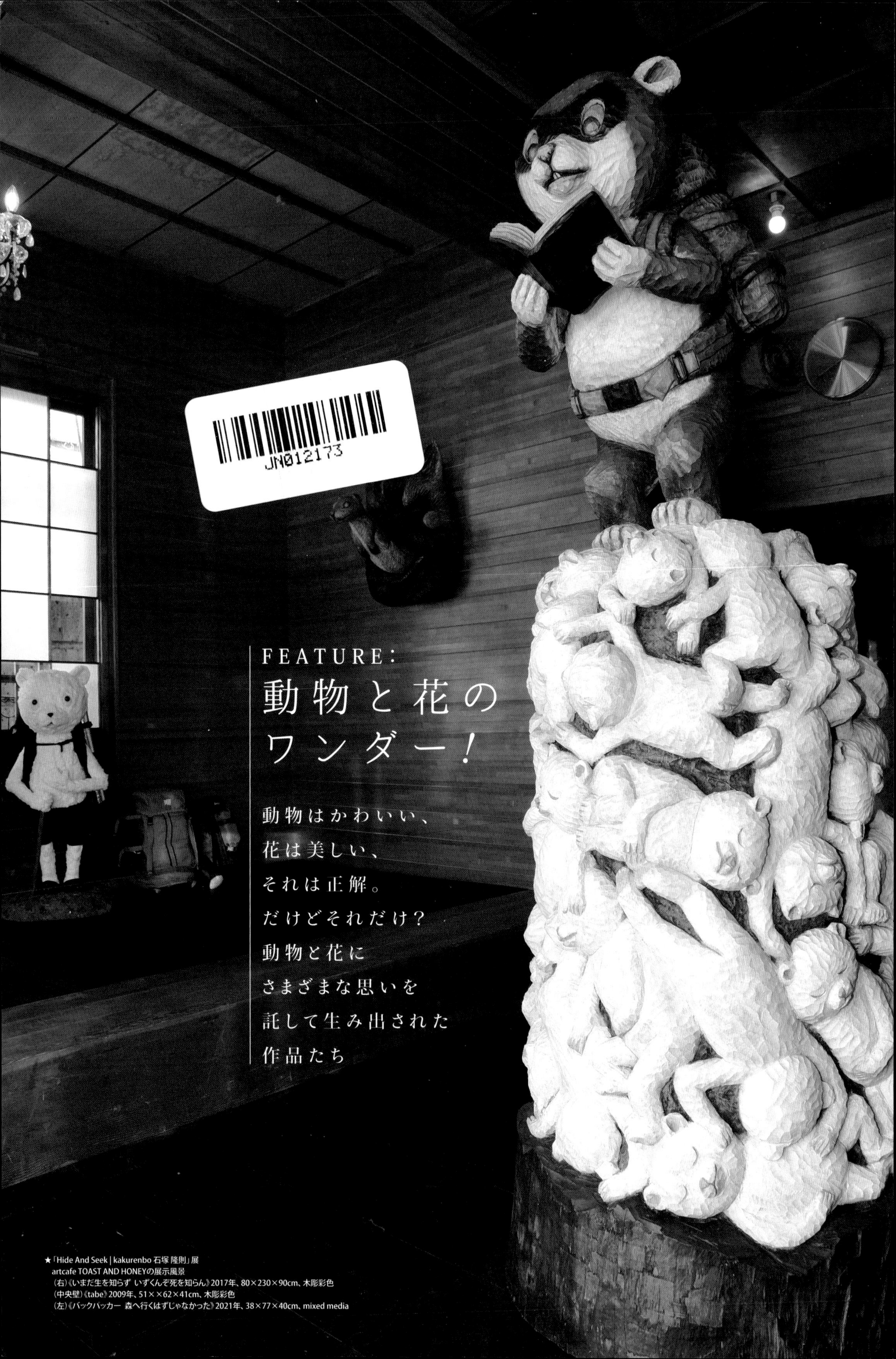

FEATURE:

動物と花のワンダー！

動物はかわいい、
花は美しい、
それは正解。
だけどそれだけ？
動物と花に
さまざまな思いを
託して生み出された
作品たち

★「Hide And Seek | kakurenbo 石塚 隆則」展
artcafe TOAST AND HONEYの展示風景
（右）《いまだ生を知らず　いずくんぞ死を知らん》2017年、80×230×90cm、木彫彩色
（中央壁）《tabe》2009年、51××62×41cm、木彫彩色
（左）《バックパッカー　森へ行くはずじゃなかった》2021年、38×77×40cm、mixed media

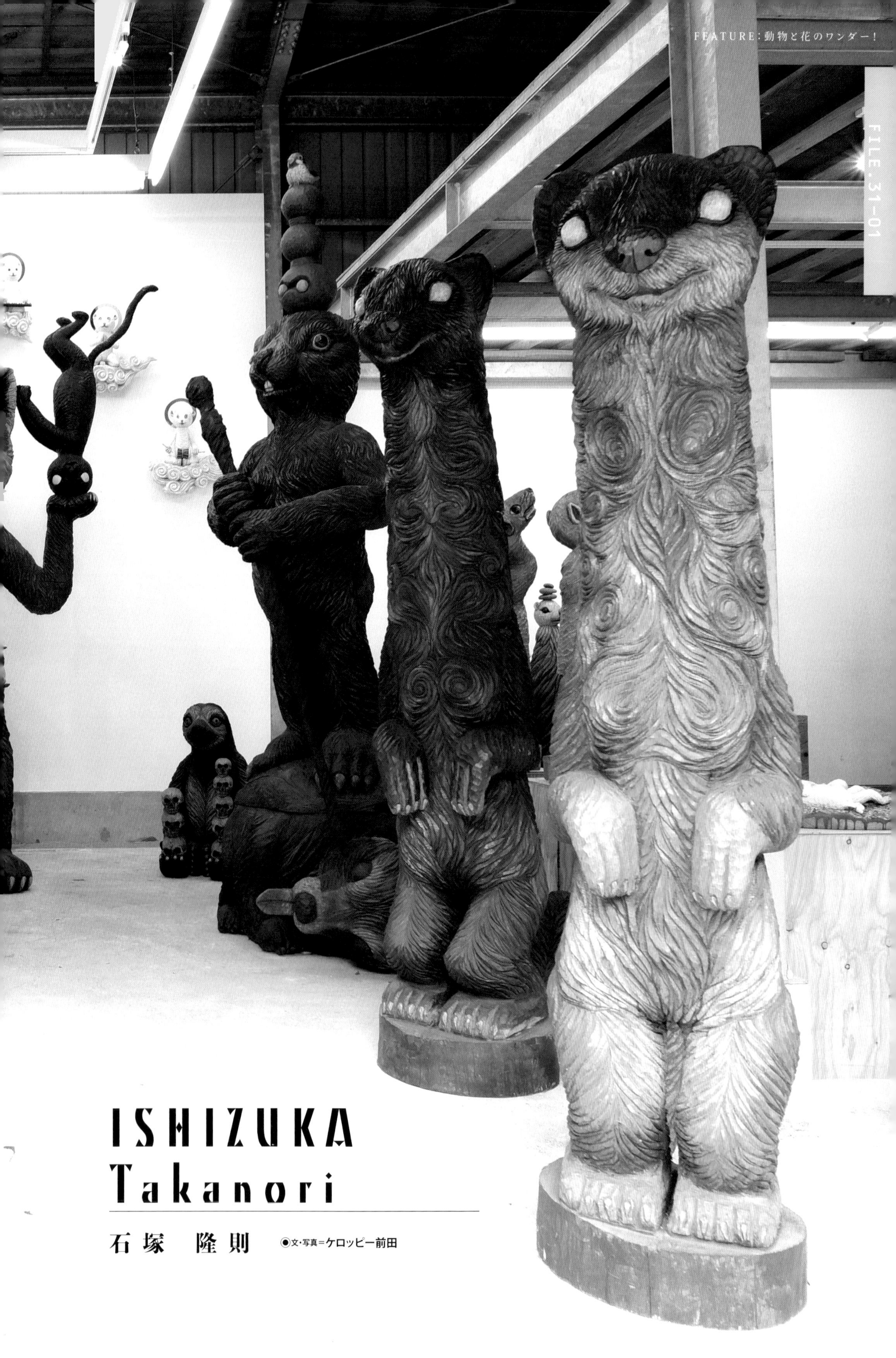

ISHIZUKA Takanori

石塚　隆則

◉文・写真＝ケロッピー前田

★「Hide And Seek | kakurenbo 石塚隆則」展／展示会場のガレージにズラリと並ぶ巨大動物彫刻作品群

★《石を売る～「無能の人」へ》2017年、30×35.5×27.5cm、木彫彩色・石

★《atempe》2009年、64×55×18cm、木彫彩色

★《byuziy》2009年、49×80×54cm、木彫彩色

★《kolobotsui》2008年、50××83×48cm、木彫彩色

★《ヨリシロ》2012年、140×320×180cm、木彫彩色・モルタル

作品の迫力と物量で圧倒する
ヴンダーカンマー的世界を目指す

★《竹林の少年》2021年、54×120×46cm、木彫彩色

★（周囲）《putintoni 1.2.3》2007年、40×142×43cm、木彫彩色・石（下）《lologo》2015年、27×27×32cm、木彫彩色

★（右）《Wolf》2018年、18×104×21cm、木彫彩色（左）《Seal》2018年、19×106×22cm、木彫彩色

★《アカルイミライ〜心棒》2016年、54×110×43cm、木彫彩色

★artcafe TOAST AND HONEY の展示風景／（右）《zyaname》2009年、35×72×79cm、木彫彩色（中央）《goukatu》2008年、36×133×71cm、木彫彩色（左）《ウインドウの中の小彫刻たち》2021年

★（上）《うつぼ舟》2014年、100×75×8cm、木彫彩色（下）《soloesシリーズ》2009年、40×55×45cm、木彫彩色

★《白い恋人たち》（2003年）の展示風景

★《Martin and me and you》2015年、guitarist: 21.5×39×20cm/audience: 18×38×18cm、木彫彩色

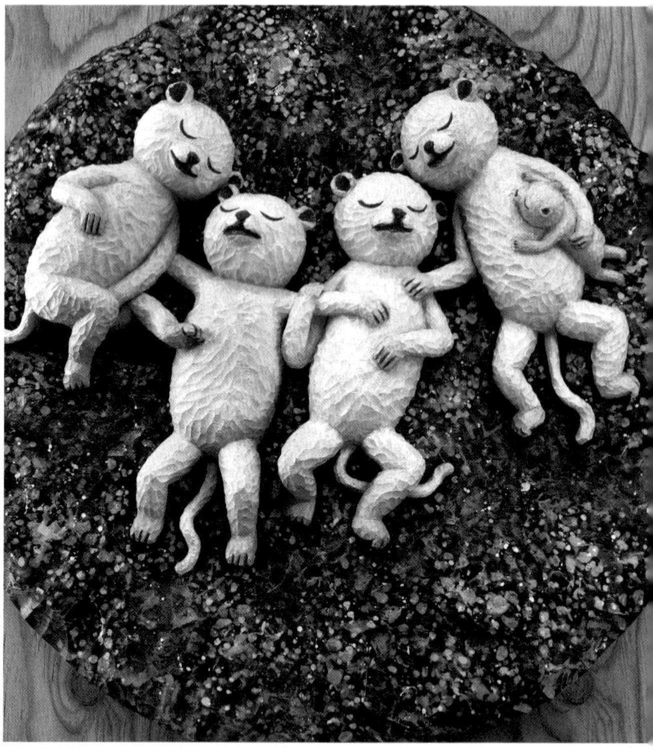

★（部分）《sleeping/Death〜a family》2018年、直径65×11cm、木彫彩色

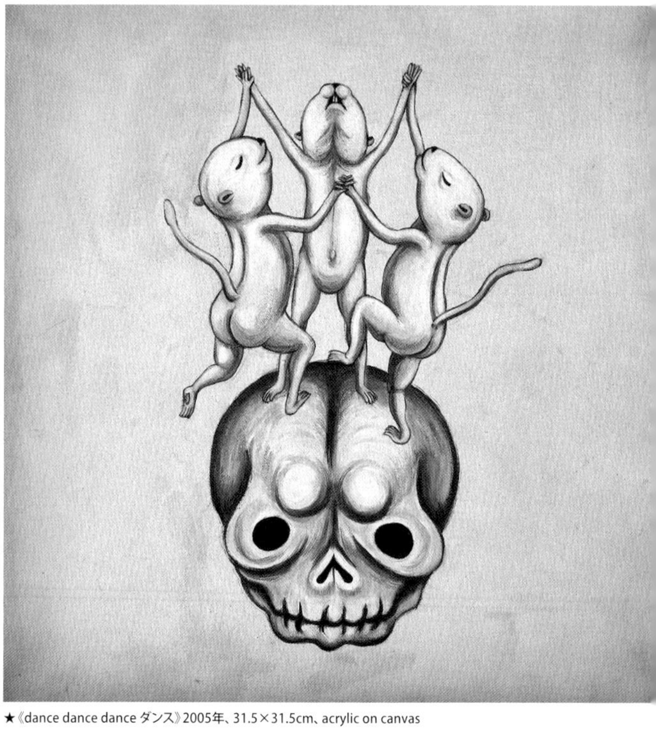

★《dance dance dance ダンス》2005年、31.5×31.5cm、acrylic on canvas

★《夜明け前》2011年、162×130.3cm、Oil, acrylic on canvas

★《午前3時のハプニング》2011年、162×130.3cm、Oil, acrylic on canvas

★絵画展示スペースの階段

★《大マスク》2013年、280×240×300cm、urethane, latex, TV monitor and others

★《かぐら》2021年、サイズ可変、mixed media

★《すもう》2021年、サイズ可変、mixed media

★《totemporama》2004-2006年、95×520×75cm、木彫彩色

日常に立ち現れる精霊たちに動物に似た形態を与えて生まれ出た膨大な作品群

大きな丸太を彫り削ることから生まれる巨大動物彫刻で、国内外から注目されている現代美術家・石塚隆則。その過去20年間に渡るおよそ100点近くの作品を集大成した「Hide And Seek｜kakurenbo 石塚隆則」展が、2021年10月から11月にかけて、千葉県成田市にある「ふわりの森」にて開催された。

今回の展示は、石塚本人が作家活動20周年を記念して制作した過去作品のブックレットがきっかけだったという。本展では、彼のこれまでの創作活動の代表作を中心に、巨大彫刻、毛皮やフェイクファーを用いたファブリック作品、絵画、ドローイングなど、異なる表現方法による作品群を同時に鑑賞できた。それらを通じて、創作のプロセスやそれぞれの作品の有機的なつながりを発見し、可愛いだけでない彼の作品の本性に触れることができたのだ。

展示会場のメインとなる大型ガレージには、石塚自慢の巨大動物彫刻作品がズラリと並ぶ。それらの動物たちについて、石塚は「日常に立ち現れる精霊たちに動物に似た形態を与えている」と説明する。過去の代表作のほとんどは一回しか展示していないとのことで、実物と対峙できる貴重なチャンスとなった。

フロント両サイドには各2匹ずつの首長動物が鋭い眼光を放っており、中央奥に直立するクマに似た動物は、複数の乳房を持つ母親で、両手に逆さま立ちの尾の長い哺乳類を持つ。その背後には、彼が〝白い子たち〟と呼ぶクリクリ目玉の白い哺乳類のキャラクターが雲に乗って楽器を奏でている。〝白い子たち〟が複数で横たわる作品では、その安らかな表情から至福の眠りを貪っているように見えるが、世界大戦の空襲による折り重なる死体写真から着想したことを聞かされると、同じ作品も全く別の見方が求められていく。

石塚の作品の謎解きは、ひとつには絵画作品にある。本展では、蔵の2階にある広い和室2つが絵画作品の展示スペースとなっていた。1970年生まれの彼は、当初は横尾忠則、のちに岡本太郎らに大いに触発され、絵画作品をメインとして作家活動をスタートさせた。その段階ですでに擬人化した動物をモチーフとする表現スタイルを確立する。そこから巨大彫刻作品の作家へと大きく転身していくプロセスには、架空の哺乳類〝白い恋人たち〟の創出という、もうひとつの飛躍があった。

母屋の日本家屋に《白い恋人たち》のインスタレーションがある。その作品について、彼は海外でのリサーチから大きなインスピレーションを受けたと語っている。

「2002年に4ヵ月ほど欧州を旅

★（右から）《新しい世界》2011年、162×130.3cm、Oil, acrylic on canvas 《つぶされちゃった女の子》2001年、165.5×91cm、acrylic on canvas 《R.I.P.》2001年、80×65cm、acrylic on canvas

★《ふたり》2021年、リス:14×41×25cm/原人:26×68×30cm、木彫彩色

★母屋の入口に設置されたレリーフ《大波（欄間）》2017年、170×70×12cm、木彫彩色

し、ロンドンでは19世紀の博物学的コレクションを所蔵する『サー・ジョン・ソーンズ美術館』、パリでは動物の剥製や骨格の膨大なコレクションが素晴らしい『パリ自然史博物館』に感銘を受けました。そこでは、美術品も骨董も生物標本も、分類整理することなく、珍しいものがごちゃ混ぜに展示されていて、美術館と博物館が未分化で、ヴンダーカンマーやキャビネット・オブ・キュリオシティと呼ばれていた時代の名残があったんです」。そして、そこで体感した作品の迫力や物量の多さで畳み掛けてくるものこそが彼の目指すところとなったのだと強調した。

《白い恋人たち》は、石塚自身が創出した架空の哺乳類〝白い恋人たち〟を、うさぎの毛皮を使って剥製のように仕上たものだ。本展での作品の解説にはこうある。

「新しく発見された哺乳類〝白い恋人たち〟 学名：Albusamatoris Candidus（マルバスアマトリス コンディデュス）身長：約45㎝ 体重：約2～2.5kg 尾長（陰茎長）：約20～25㎝（中略）哺乳類では珍しい二足歩行の種類で、さらに尾に見えるものはその先から精子を放出し、排泄腔に子宮を有した生殖器官が存在しています。つまり、単体で雄雌の機能を持った完全両性具有類なのです。また、交尾を中心とした社会性をもっており、大変興味深い進化をとげた生物として注目を集めています」

3匹の〝白い恋人たち〟が手を繋いで尾を放射状に伸ばしている様子は、交尾のための求愛のダンスとも説明されている。

2004年に水戸芸術館からのオファーで制作された《白い恋人たち》のインスタレーションでは、巨大ジオラマが制作され、架空の動物をまるで実在するもののように剥製にし、骨格を考え、生態や特徴まで創作していた。その路線から離れたのは、剥製の材料になる毛皮を取るため、うさぎの命を犠牲にしなければならなかったことや、科学の領域に立ち入るよりも自分の創作へのイマジネーションを作品自体にぶつけていきたかったからという。

そこから巨大な木彫り彫刻作品が作られるようになっていく。その記念すべき第一作目は、2年掛かりで制作された全長5メートル50センチのトーテム・ポール《totem polama》である。本展では、蔵に横置きで展示されていた。

木を彫る喜びを発見した彼は「霊獣」展（nca | nichido contemporary art、2009）で新境地を開き、「絵画から彫刻にシフトして、ひとつひとつの作品に向き合う時間が長くなり、内面から湧き上がるイメージを迷いなく形にしていけるようなった」といい、ひたすら制作に没頭し、石塚ワールドを確立していく。

近年は、絵画では山下菊二や中村宏、桂ゆきに注目し、彫刻では新潟県に石川雲蝶が手掛けた西福寺や葛飾区の柴又帝釈天を訪ね、現代美術家・工藤哲巳のランドアート作品《脱皮の記念碑》を見るために千葉の石切場にも行ったという。

日常生活や社会問題を〝けもの〟の形を通じて表現する石塚隆則、可愛いだけじゃない、その膨大な作品群としっかりと対峙して欲しい。

（ケロッピー前田）

※ふわりの森 "Discovery" ART WITH AIRPORT CITY &TOWN「Hide And Seek | kakurenbo 石塚隆則」展は、2021年10月22日～11月21日に、千葉県成田市のふわりの森にて開催された。

動植物の死の
行きつく先ある金属という存在は、
死後の世界を感じさせる

★《殻》2020年、H300×W270×D240mm、銅・リン青銅・銀メッキ

YOSHIDA Taiichiro

吉田　泰一郎

◉文=志賀信夫

★《夜霧の犬》2020年、H860×W250×D1600mm、銅・リン青銅・銀メッキ・七宝

★《三毛猫》2021年、H300×W150×D700mm、銅・銀メッキ・七宝

★《parasite》2018年、H140×W140×D170mm、銅・リン青銅・ステンレス・銀メッキ・エポキシ樹脂

★《vessel》2020年、H300×W170×D100mm、銅・リン青銅

★《chimera》2016年、H380×W300×D440mm、銅・リン青銅・真鍮・赤銅・銀メッキ・スタイロフォーム・エポキシ樹脂

★《Chrysanthemum》2019年、H350×W200×D750mm、銅・リン青銅・銀メッキ

★《嗤う鬣犬（ハイエナ）》2017年、H900×W900×D1400mm、銅・リン青銅・ステンレス・銀メッキ・エポキシ樹脂・スタイロフォーム

★《surface"バルタン星人"》2020年、H300×W300×D160mm、銅・錫メッキ・ソフトビニールフィギュア

★《Harpy》2017年、H60×W130×D150mm、銅・リン青銅・真鍮・銀メッキ・スタイロフォーム・エポキシ樹脂

★《Chiral》2015年、H200×W260×D130mm、銅・リン青銅・銀鍍金・楠

★《猿と果実》2015年、H950×W350×D400mm、
銅・リン青銅・銀・赤銅・四分一・銀メッキ・スタイロフォーム・エポキシ樹脂

★《人魚のミイラ》2020年、H460×W200×D330mm、銅・銀メッキ・七宝

花や蝶の精緻な金工細工の集合で生み出す動物の「彫刻」

人の手で魅力が引き出せる金属の面白さ

二〇二二年のアートフェア会場で驚いた。動物の彫刻なのだが、一面に蝶などがびっしり。金属質の感触といい、ちょっと剥製のようでもあり、生よりも死を感じさせる。その素晴らしい造形に圧倒された。それが、金工によるものであったことがわかり、さらに驚いた。

金工の代表は彫金で、かつて骨董雑誌を編集していたときに、明治時代の加納夏雄の作品に引き込まれた。もちろん、それらは小さい、工芸品というジャンルのものだ。だが、吉田泰一郎は、その技術でこの迫力と存在感のある生物彫刻を生み出した。そこで、その秘密を聞き出そうと考えた。

吉田泰一郎は、幼少期から絵を描いていた。そのまま美術系高校に進学して、デザインや絵画の道に行くとなんとなく思っていた。そして高校入学後、専攻ごとに分かれるが、当時の担任が彫刻科の担当教員で、彫刻科に誘われて、そのまま彫刻を勉強した。そのときに初めて金属に触れて自然と興味が湧き、金属表現を勉強するために、東京芸大の工芸科に進学した。

そこで吉田は感じたのだ。金属は、人の手で精製し加工することによって、強度や光沢など素材としての魅力を発揮する。そして、自分が関わることによって金属を定義できる面白さがあると。そのなかでも、吉田は、彫金のもつ金属の色の多様性、加工方法、装飾意匠技術に惹かれた。

また、加納夏雄、海野勝珉などは、技術、意匠などが素晴らしい。だが、明治から大正、昭和初期は、国

★《parasite「scarlet」》2019年、H400×W200×D470mm、銅・リン青銅・銀メッキ

の指示のもとの制作が主流なため、作品から息苦しさも感じた。その印象から、彫金技法をもっと自由に展開できないかと思っていた。

彫金を用い、彫刻としての表現を目指す

そして、金工細工は小さいが、集めれば大きい作品もできるから、彫刻的な作品をつくりたかったそうだ。それは、どうしてか。

吉田は、明治時代の西洋美術の流入以降、現代まで、彫金は、美術との関係性をうまく咀嚼できていないという違和感を抱いている。日本の彫金技術は、中国から弥生時代にもたらされ、以降長い年月をかけて、大陸との交流によって、江戸時代には、アジアで類を見ない金工技術にまで発展した。その流れを見ると、開国後、彫金は、西洋と日本の文化をどのように解釈して展開していくか、まだ発展途上のように彼には思えたのだ。そのため、彫金の技術を彫刻として展開していくようになったという。

また、工芸作品は商品としての存在が強く、鑑賞者と作品に境界を感じるという違和感がある。それゆえ彫刻としての表現によって、鑑賞者とダイレクトに対峙できる作品がつくりたかったからとも述べた。

自分独自の鏨《たがね》を開発

さらに吉田は、「銅でさまざまな表情がつくれる」と語り、銅には加工方法、接合方法、着色方法など、他の金属にない多種多様性があると感じている。他の金属にも、種類によってもちろんよさがあるが、硬すぎたり、メッキなどの着色があまり出なかったり、熱加工ができなかったりと、さまざまな制約がある。彼はイメージ優先で作品を制作していくタイプなので、銅は、そのイメージに柔軟に対応できる金属だと思っている。

そして彫金は、鍛金や鋳金でできた胎（素地）に装飾するのだが、「その装飾部分だけ抽出して作品がつくれないか」という問いがきっかけとなって、作品制作をしている。そのため、技法で大切にしているのは彫金の装飾加工技術。なかでも代表的なのが、鏨《たがね》による加工だ。

★《粗》2021年、H350×W100×D60mm、銅・銀メッキ・七宝／右は裏側

★抜き鏨

あらゆる種類の鏨があるが、それらのよさを抽出して、吉田は、自分独自の鏨を開発した。それが「抜き鏨」というものだ。薄板に打ちつけると、その形に金属の破片が切り抜かれる。この技法が彫金装飾を象徴するものとして、彫刻を作っているという。

　また、吉田は七宝も使っている。七宝はガラス分野だと思う人も多いが、これは金属の胎の表面にガラスで装飾する技法のため、彫金の仲間だそうだ。地味な金属の色が多いなかで、多様な色が使えるので、吉田は、好んで七宝も使用している。七宝というと、私たちは、どうしても宝飾品や、観光地のお土産屋などの体験といった印象が強いが、その技術が生かされているのだ。

花や蝶で命の輪廻を表象

　吉田の作品は、蝶や花が集まって動物を構成している。それは、どういうところから発想したのだろうか。

　彼は、表現方法として、工芸の花鳥風月の感覚やモチーフ、動植物の装飾模様、模様のもつ連続性に影響を受けている。そして、前に述べたように、「胎」を作らずに、装飾模様だけ抽出して作品がつくれないかという考えも大きい。また、花や蝶を選ぶことが多いのは、死生観や命の輪廻の感覚を作品に取り入れていることが多かったからだ。

　そして、蝶や花が群集しているもう一つの理由は、大きな山を見たときに、よく見るとたくさんの木でできている感覚だという。それは、フラクタルの感覚にも似て、物体を構成するのは、それをざっくり単体と認識することもできるし、細かい物質が群集しているから認識できるという考えもある。彼は、物体を遠くから見た視点と、近くで見た視点の差異が好きなのだ。

　これは、ミニマルなものが集合して、新たな世界をつくりだすことにも似ている。また、緻密に描かれた細密画の魅力に通じるところがあるのだろう。

金属の持つ、死後の世界を具現化する力

　冒頭述べたように、吉田の作品では、動物たちが、生きているけど死んでいるように見えて、どこか死も感じさせる。

　彼は、現代日本の生活における薄い生死感から、「何が生きているのか死んでいるのか、わからない」という虚無感覚があるという。そして、その影響は制作においてすごく強い。だからといって、意識的に死を表現しているわけではないが、このことは、作品を見た人からよく聞かれるという。

　そして吉田は、金属から生じる、生死感や見えない力を意識している。例えば、神社や寺院の装飾は彫金された金属が多いが、それは、金属には死後の世界、神など見えないものを具現化する力があるからだ。実際に、宗教的な荘厳芸術の金工装飾は、当時、「いかに神の目にかなうものをつくることができるか」を一番大切にしていたそうだ。このようなことから、日本人の金属に対する価値観の一つとして、生死を感じるのだと、吉田は思っている。

　かつて『二十の扉』というクイズ番組が流行った。筆者の家では、それをまねてクイズをやっていた。それは、「植物ですか、動物ですか、鉱物ですか」という問いで始まるものだった。そこから、答えを導いていく。実は動物や植物は、長い年月を経て土から石や鉱物になる。その中にあるのが金属だ。その点からすると、金属は生物が昇華したものとも考えられる。生物の死のずっと先にあるもの、行きつく先といってもいい。だから、死を感じさせるのかもしれない。

　それにしても、モチーフはほとんど動物である。それは、吉田の小学生時代、流行ったポケモンやカードゲームの影響かもしれないという。ポケモンや動物などは自分を裏切らない絶対の存在であるという経験や、子どものころのペットを飼ってみたい、人間以外の存在と交流したいという気持ちが大きかったそうだ。

　これらから考えると、吉田の作品づくりは、動物が死んで昇華されて生まれた金属で、再び動物をつくる、ということでもある。そう考えると興味深い。ゆえに、多くの人に、生と死の狭間を感じさせるのかもしれない。

金工の「置いてきぼり」を変えたい

　そんな吉田は、影響を受けた作家として、江戸時代の金工作家の横谷宗珉、木彫でごく小さい花などをつくる現代の須田悦弘をあげた。さらに意外なことに、美青年を描く画家の山本タカトも。そして、現代ドイツの木彫、一木造で独自の世界を生み出した彫刻家、シュテファン・バルケンホール、十六世紀イタリアの彫刻家、ベンヴェヌート・チェッリーニの名前もあげた。チェッリーニは金工、彫金でも知られる。

　美術家以外では、安部公房、北大路魯山人をあげた。二人に共通するのは、独自の美を追求した天才ということだろうか。安部公房の生み出した不条理の世界は、演劇的、映画的でもあった。コンピュータにも早く注目した作家だ。また、魯山人は美術、陶芸、料理など、マルチな才能で知られるが、あらゆる技法を試したその焼き物は、類のない独自の世界を生み出している。

　吉田は、前述のような、金工分野における「半世紀置いてきぼり」の現状を変えたいという。その理由の一つに制作時間がある。金工はものすごく手間がかかる。金工家は、三〇センチ四方のものを年間五個制作できるかどうかだそうだ。そのためか、他分野芸術に比べて、発展が遅い印象があるという。

　だから吉田は、その現状と現代のシステムをうまく使って、金工史、アートにおいて新たな展開をしたいと思っている。そのためにも、日々の勉強も大事で、作品制作を通してもう少し答えが出てくるように精進したいと語る。

　さらに彼は、神社、寺院での展示もいつかしてみたいと思っている。それは、金工の発展にはとても重要な場所だったためであり、吉田なりの表現方法にもう少し答えができたら、やってみたいと結んだ。

（志賀信夫）

★《アダム＆イブ》2017年、1167×803mm、Mixed media

MORI Ben

森 勉

◉文＝志賀信夫

★《ブルーライオン》2020年、1120×1455mm、Mixed media

★《カメの親子》2019年、455×606mm、Mixed media

★《ジャガー》2017年、1000×650mm、Mixed media

★《蝙蝠に乗る忍者》2020年、1167×910mm、Mixed media

描いていたのが、ドット技法の始まり

★《ヘビvs ワニ》2021年、1167 x W910mm、Mixed media

子どものころ、爬虫類の皮膚をドットで

★《オーシャンコラージュ》2015年、1000×727mm、Mixed media

★《トリケラトプス》2015年、727×500mm、Mixed media

デザイン的なデフォルメと鮮やかな色彩、ドットで描かれる動物たち

ドットで覆われた動物の存在感

森勉の作品は、不思議議である。動物などを描いた絵画なのだが、対象の縁を強い線で描き、イラスト的な平面性がありながら、その縁取りから動物たちが浮き上がり、強い存在感を示す。つまりそれら

★《ジャングル》2021年、1120×1620mm、Mixed media

は、例えれば、草間彌生の描く南瓜のような力を得ている。その共通点は、絵にドットがあることにもよる。動物の身体がドットで覆われている。それは大きい点描の一種ともいえるが、これも森独自な感覚だ。

森は、子どものころから、好きなことや得意なことを親が自由にやらせてくれた。小学生のころから、大人と一緒にヌードデッサンの授業を受けさせてくれた。勉強は得意ではなかったが、小学校六年生のときに読書感想画コンクールで最優秀賞を受賞したという。

グラフィティアートから点描へ

森は、高校と大学の合計八年間、米国に留学していた。大学は美大（ロードアイランド・スクール・オブ・デザイン）だったので、とてもクリエイティブな環境だった。ただ、日本と違って、課題の量はかなり多く、徹夜も頻繁にしたそうだ。つまり、それは、本当に作品の創造が好きかどうか、試される状況だったという。そのため、大学二年目には、大学に戻ってこない人も多かったのだ。

そして、森は、大学二年生で専攻を選ぶときに、技術など何かを身につけたかったので、パソコンを使うグラフィックデザインを選んだ。絵画専攻も考えたが、それは、大学で学ばなくても、自分でできると考えた。そのおかげで、ソフト（アプリ）のイラストレーターとフォトショップを使えるようになった。だが、いまはほとんどパソコンを使っていないという。

森は以前、グラフィティアートをやっていた。その魅力について聞いてみた。

彼にとって、グラフィティは、いろんな要素がつまってるところが魅力だ。グラフィティには、大きく描くスケール、色のセンス、コンポジション、タイポグラフィなどの特徴がある。同時に、ほかのアーティストとの絆や思い出作りも重要な要素だったという。

また、森は、子どものころに爬虫類が好きで、イグアナ、亀、カエル、ヤモリなど、多くの爬虫類や両生類のペットを飼っていた。そのため、自然とペットの

★《オオハシ》2015年、460×380mm、Mixed media

★《アマゾンコラージュ》2015年、1000×727mm、Mixed media

★《フォレスト》2015年、1620×1303mm、Mixed media

★《ネイティブアメリカン》2021年、1000×803mm、Mixed media

★《ジーザス》2017年、910×727mm、Mixed media

絵や図鑑に出てる動物の模写を描くようになり、当時、ワニなどの爬虫類の皮膚のウロコをドットで描いていた。それがいまやっているドット（点描）の技法の始まりだ。そして、デザインやグラフィティアートで培ったスプレーやマーカーの技術などの経験をうまく取り入れ、自分の個性を活かせるアプローチをとっているという。

カラフルな動物たち

森の作品には、動物がモチーフのものが多い。それはどうしてだろうか。森は、前に述べたように、子どものころに多くのペットを飼っていて、小学校のときには、飼育部にも入っていた。こうした影響から動物が好きで、長く飽きずに描けるモチーフは動物だったという。また、現在は、景色、人物、街の風景など動物だけにとらわれずに作品制作をしている。だがそれでも、やはり動物は描いていて、楽しいという。

彼の作品は、色使いとか、美術の通例とは異なる表現を感じる。それは、どうしてなのか。

森は、グラフィティアートで色遊び、色の組合せをたくさん行っていた。それによって、色使いを恐れずに、原色に近いカラフルな色を、ほかの相性のいい色と組み合せて表現することができるようになった。そして森は、濁った色はあまり好きではないという。これらが、彼独自の色使いを生み出したのだろう。

また、デフォルメに関しては、そのまま描くのはつまらないので、どうやって格好よく、もしくは可愛く元の形を崩せるか、常に考えて描いているそうだ。

デザインとアート

森の作品は、デザイン的にも見える。デザインとアートの違いについては、どう考えているのだろうか。

森は、「デザインはだれかのためにつくり、アートは自分のためにつくる」といった。

なるほど。以前イラストレーターとして一世を風靡した宇野亜喜良に話を聞いたときに、「依頼があるからつくる」といっていた。また、詩人の谷川俊太郎も、詩を書くモチベーションについて、同じように「頼まれるから」と述べたことを思い出す。森は当初、「だれかのためにつくる」グラフィックデザインを志していたが、グラフィティアートを経て、次第に、「自分のために描く」アートの世界に入ったということだろう。

新たなポップアートを創造

森は影響を受けた美術家として、日本画や浮世絵では伊藤若冲、歌川国芳、北斎、さらに漫画をあげた。また、子どものころに、ミケランジェロやダ・ビンチの模写をしていたそうだ。そして、ゴッホやピカソも当時見て印象に残っており、キース・ヘリングやアンディ・ウォーホルなどポップアートも好きだったという。

現在の森の作品は、確かに新たなポップアートといってもいいかもしれない。ポップアートは、ウォーホルやリキテンシュタインを見ればわかるように、既存の広告など、デザインされたものを元に発達した。そのため、デザインからグラフィティアートを経た森の感覚は、よく理解できる。また、森の縁取りのある作品は、ステンドグラスのような形にしても、おもしろいのではないか。

森は、美術以外には、音楽も好きで、最近はバンド活動もしているそうだ。ヘビーメタルが好きで、ピアノも昔弾いていたが、最近復活したという。

森は、ファッションデザイナー、森英恵の孫である。つまり、森泉らの兄だ。恵まれた環境だったといえるだろう。そういった出自は、プラスになることも、マイナスになることも、ある。だが、彼の作品を見ていえることは、確実に、彼オリジナルの世界を作り出していることだ。

森は今後、二〇二二年の三月に、アートフェア東京に参加し、真珠で有名な銀座の「TASAKI」（田崎真珠）で展示・イベントを開催する予定だ。表現者は、最終的には、作品でしか評価されない。その意味でも、森の作品は今後も注目していくべき、強い魅力が溢れている。

（志賀信夫）

★《水面に漂う花》2019年、53×53cm、キャンバスに油彩／撮影：宮島径

巧みに混在する
装飾性、墨色の筆致と、
キャンバス地

MIZUNO Rina

水野　里奈

◉文＝志賀信夫

★《山脈の中の御屋敷》2019年、162×130cm、キャンバスに油彩／撮影：宮島径

★《赤い織物のある部屋》2021年、100×80cm、キャンバスに油彩・ボールペン／撮影：宮島径

★《緑の御屋敷》2021年、144.5×112cm、キャンバスに油彩・ボールペン／撮影：宮島径

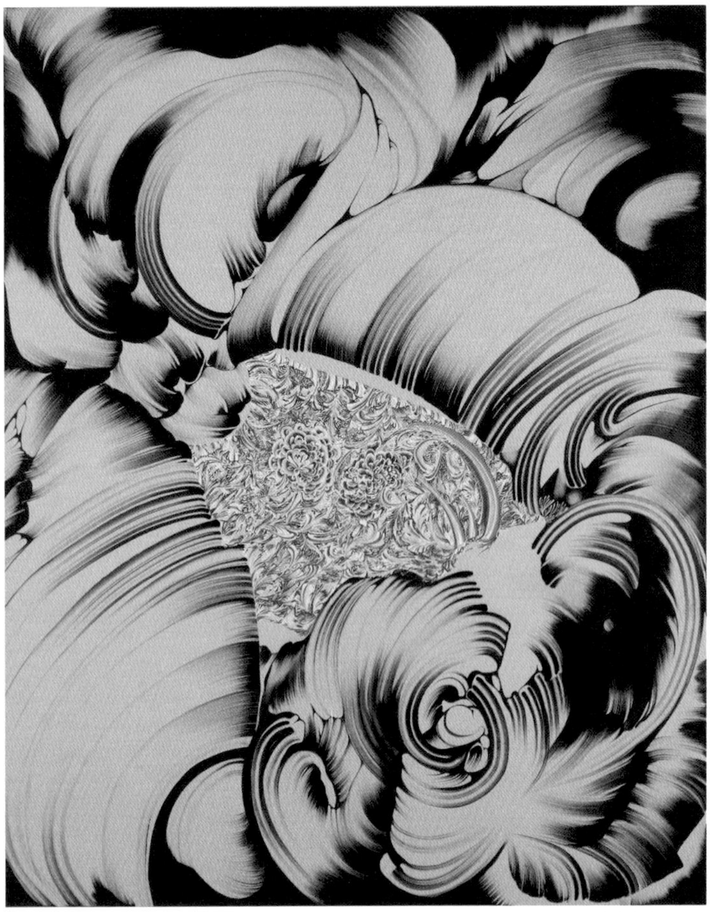

★《鍾乳洞に埋まる花》2018年、162×130cm、キャンバスに油彩／撮影：宮島径

★《輝く鍾乳洞》2018年、227.3×181.8cm、キャンバスに油彩・ボールペン／撮影：宮島径

★《洞窟》2018年、100×80.3cm、キャンバスに油彩

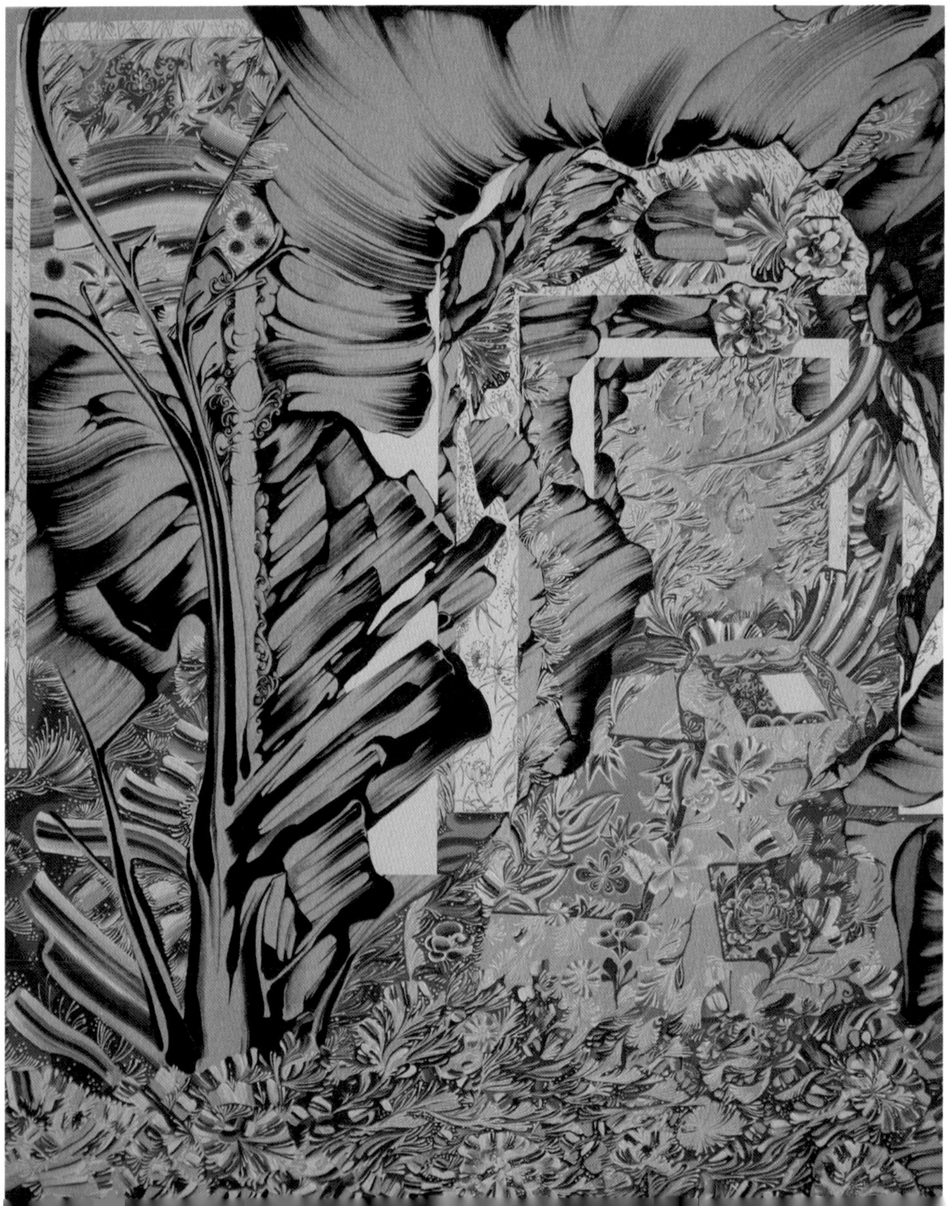

細密画のような装飾性と墨色の大胆な筆致による重層的な絵画

★《渦巻く花びら》2019年、116.7×116.7cm、キャンバスに油彩・ボールペン／撮影：宮島径

お気に入りを組み合わせる

水野里奈の作品は変わっている。装飾的な絵柄が、複雑に重なり合っている。それは豪華な布などのコラージュのようでもある。さらに、ダイナミックな墨色の筆致が加わる。つまり、デザイン的でもありながら、平面的ななかに、類のないオリジナルな世界が生まれている。ウイリアム・モリスなどにも通じるところがありながら、日本ゆえにと感じさせるところもある。何とも不思議な作家だ。この作品は、どうやって生まれてきたのだろうか。

水野は、物心つくころから絵を描くのが好きだった。家の近くに森があり、気に入った木の葉を一枚だけ持ち帰り、画用紙に貼り付ける遊びをしていた。それは、実は、お気に入りのものを選び取って組み合わせるという、現在の原点なのかも知れないという。

奈良美智のアイデアスケッチに刺激されて

水野は、高校時代、名古屋のギャラリー、白土舎《はくとしゃ》に通っていた。美術部の友人と何気なく見学したのが始まりで、画廊自体初めてだったので面白く感じ、一人で通うようになった。そして、じっくり作品を見ていたら、オーナーの土崎正彦に声をかけられた。

彼女は、キャプションの「リトグラフ」を知らなかったので、聞いたところ詳しく教えてくれた。そこには画集もたくさんあって、「元に戻すのなら、好きに読んでいい」といわれ、予備校に行く前に通って、画集や本を読んだり、色々と教わったりした。美味しいチョコやお茶をいただくなど、いつも夫婦で親切にしてくれたという。

そして長く通うなかで、奈良美智の話をしたら、土崎が倉庫からファイルを出してきた。奈良が学生のころに描いた白土舎の展示のアイデアスケッチだった。

美術館にあるようなものが、自分の手元にあることに衝撃を受け、「自分でも画家になれるんじゃないか」と思った。当時、画家になりたいなんて、歌手になるくらい無謀に感じていたが、これがきっかけで決心がついた。あとで、奈良美智が初めて展示をしたのは白土舎だったと知って、貴重なものを見せてくれたと、いまでも感謝している。

★《青い宮殿》2019年、194×521cm、キャンバスに油彩・ボールペン／高橋コレクション蔵、撮影：宮島径

★《From now on》2017年、194×521cm、キャンバスに油彩・ボールペン／大原美術館蔵

名古屋に、このようなギャラリーがあったことが貴重だ。地方都市にもギャラリーはあるが、貸し画廊が基本で、地域の絵画会の発表会が中心というところが多い。もちろん、どこも画廊主は美術の造詣が深いだろうが、若い学生などに、このようにしっかり向き合う人は、多くはないのではないか。

アートフェアで奇妙な体験をしたことがある。いい作家をみつけて、当人もいたので声をかけた。そしてその地方の画廊を通したら、許可が出なかった。おそらくいい作家を東京に取られたくないという、囲い込みの気持ちが働いたのではないか。それなら、アートフェアなどに参加すべきではない。もちろん画廊も、せっかく育てた作家を云々ということは、実際にあるだろう。だが、活躍の場を狭めてしまっては、もったいないのではないか。

英国留学で接した名画

水野は、美術史に残る名画の本物を間近に見てみたいと思って、英国に留学した。留学先はブライトンだったが、休日はロンドンへ行き、安い飛行機を使えば往復七〇〇〇円ほどでヨーロッパの国々に行けたので、ドイツ・オランダ・スペイン・トルコも訪れた。そのとき見たものが、今日に影響しているという。

英国のテートブリテンには、J・E・ミレーの《オフィーリア》（一八五一～五二年）が収蔵されている。ミレーが二十三歳で描きあげた名画だが、留学当時の水野は二十一歳だったので、あと二年でこれほどの作品が描けるものなのかと、ショックとともに、「目標にしよう」と奮い立った。そして、留学最後の日に、この話を覚えていた友人が《オフィーリア》のポストカードをプレゼントしてくれたという。

細密画と刺繍の感性

水野の作品は、装飾性が高い。それは、中東、トルコなどにある、伝記や伝説がA４判ほどのサイズの紙に緻密に描かれた細密画《ミニアチュール》からだ。また、オートクチュールの刺繍にも関心があり、自分でも趣味で刺繍をするので、絵の具を射し込むような描き方を思いついたという。

なるほど、刺繍と聞いて、合点がいった。刺繍そのものを現代アートにする作家もいるが、刺繍の感覚、感

★《入れ子状の建物》2020年、363.6×227.3cm、キャンバスに油彩・ボールペン／撮影：宮島径

性やデザイン感が絵画に反映されているという美術家は、珍しいかもしれない。平面的でありながら、いわゆる遠近法ではない、刺繍のマチエールが生み出す立体感がある。

水野は、油絵で日本画的なものを描きたいと思った。これまでなかったものを描くという挑戦を、面白いと感じているからだ。元来あったものを、新しく咀嚼して作り出すのは、少し既視感があるため、人の心に引っかかって残るのではないかと考えている。また、油絵具は墨より物質感があるので、迫力が出せないかと模索している。

水野の作品には、キャンバスの「地」が残っていることがあるが、それは、緻密な模様や筆の勢いのあるタッチと正反対な状態だからだ。何も描かないキャンバス地そのものを残し、相反するものを一枚の画面に混在させると、お互いを引き立たせることができると感じている。

水野は、中東の細密画の装飾性と、水墨画における筆致の要素、そしてキャンバス地そのもの、という三点を重要視して、それぞれを互いに生かすことを心がけて、画面空間を重層的に構成しているという。また、数種類のオイルを微調整して、筆で描いて、立体的に見える部分を生み出している。

墨色の筆致のインパクト

水野には、《岩波》や《渦》（ともに二〇二〇年）などの墨色の作品がある。これは違ったインパクトがある。そしてそれが刺繍的、装飾的な画面にも取り入れられている。その墨色も油絵具だ。

彼女は、学生時代はまだ技術がないために、装飾のみの作品、墨色の筆跡のみの作品を描き、二年ほど訓練していた。それぞれ同じくらいの技術を習得したころに、現在のように混ぜ合わせた作品となった。

二〇一七年に大原美術館でレジデンスがあって、五メートル以上の作品を初めて描くことになり、一〇〇センチほどのキャンバスに墨のタッチのみで練習した。展示する予定がなかったが、学芸員に、「この作品も展示した方がいい」といわれ展示したところ、反応がとてもよかった。

その後、五メートルの作品《From now on》（二〇

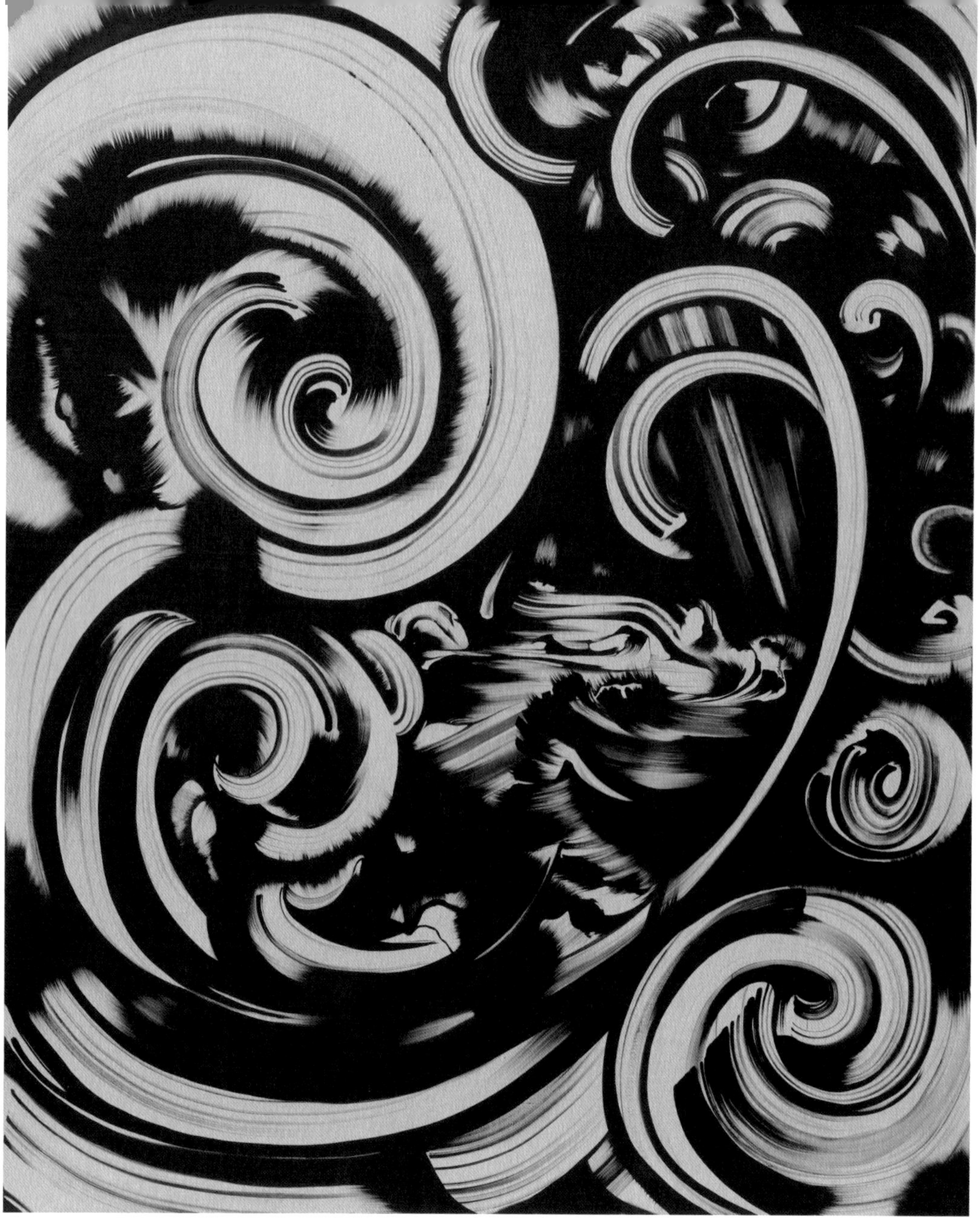

★《渦》2020年、227.3×181.8cm、キャンバスに油彩／撮影：宮島径

★《細密ドローイング2020①》2020年、（水彩紙）31.8×41cm（額装）45.5×55.3cm、水彩紙にボールペン／撮影：宮島径

★《満奇洞》2017年、100×80.3cm、
キャンバスに油彩・ボールペン／大原美術館蔵

★《入れ子状に渦巻く》2018年、181.8×227.3cm、キャンバスに油彩・ボールペン／撮影：宮島径

一七年）と、練習作品だった《満奇洞》（二〇一七年）が美術館所蔵になった。それが、時々、墨のタッチのみの作品を描くきっかけになったと、彼女はいう。

水野の作品は、絵巻物のような印象もあるが、彼女は鑑賞が好きで、意図はしていないという。そのため、もし近い印象があるのだとすれば、作品がより大きく感じるような構図を意識しているからなのかも知れないという。全体的に広がってゆくような印象になれば、という思いがあるそうだ。

五メートルの作品でも、五〇センチの作品でも、花瓶などのモチーフサイズは変わらない。だから、作品サイズが大きければ大きいほど描ける世界観が広がるので、面白味を感じているという。

新たな展開を模索

特に影響を受けたのは、日本では曾我蕭白、伊藤若冲。前述のように、中東、トルコなどで見かける細密画《ミニアチュール》の他、ピエール・ボナール、サイ・トゥオンブリーも好きな画家だそうだ。

そして美術家以外では、作家のトーベ・ヤンソン、デザイナーのトリシア・ギルト、靴のデザイナー、マノロ・ブラニク、ダイアナ・ヴリーンランドをあげた。ダイアナは、『ヴォーグ（VOGUE）』の編集長、メトロポリタン美術館衣装部門のコンサルタントで、ココ・シャネルとともに仕事した経験があり、ビキニの普及など現在のファッションの原点になっているそうだ。

このファッションやデザインへの関心も、水野の個性を形作っていると考えられる。刺繍はファッションの一部だが、同時に古来の工芸でもある。細かい手仕事の世界を大きなカンバスに載せて、美的な空間の拡張を目指しているのだろう。

水野は今後、日本国内はもちろん世界中の美術館で展示を行い、世界に認められる作家を目指しているという。美術館での展示は日本国内では少しずつ開催できるようになってきたが、まだまだその一歩を踏み出したところである。一方で、二〇二〇年からの一年間では新聞小説の挿絵（島田雅彦『パンとサーカス』東京新聞、六人の美術家リレー）を経験し、作品から派生した違うジャンルでの活動にも興味を感じている。今後も新たな展開がありそうだ。。　（志賀信夫）

◉文＝沙月樹京

★《還る》2021年、180×180mm、墨・珈琲・岩絵具・和紙・パネル

HAGIWARA Wakana

萩原　和奈可

★《拝》2020年、455×455mm、金箔・墨・珈琲・和紙・パネル

★《見えない罠》2021年、275×225mm、金箔・岩絵具・珈琲・墨・和紙・パネル

★《月下》2018年、410×240mm、金箔・岩絵具・水干絵具・墨・和紙・パネル

★《HATED PERSONS》2018年、1600×700mm、金箔・墨・珈琲・和紙・オリジナルパネル

★《蔑されたもの達》2021年、805×1170mm、金箔・岩絵具・水干絵具・墨・和紙・パネル

蔑まされているものたちも、生きる役割を持つ「愛すべきヒーロー」だ

★《anniversary》2017年、335×335mm、銀箔・岩絵具・水干絵具・和紙・パネル

★《白い覆》2021年、270×270mm、銀箔・岩絵具・水干絵具・和紙・パネル

★《浮遊の青》2018年、310×310mm、金箔・銀箔・岩絵具・和紙・オリジナルパネル

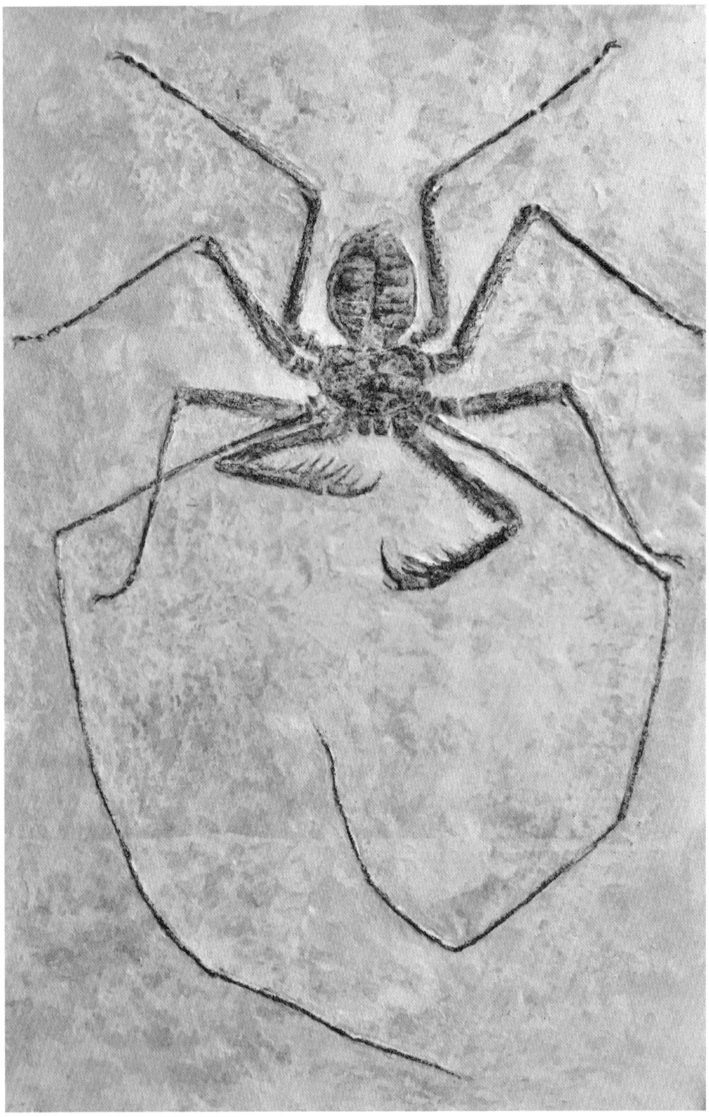

★《ウデムシ》2021年、270×190mm、銀箔・岩絵具・水干絵具・和紙・パネル

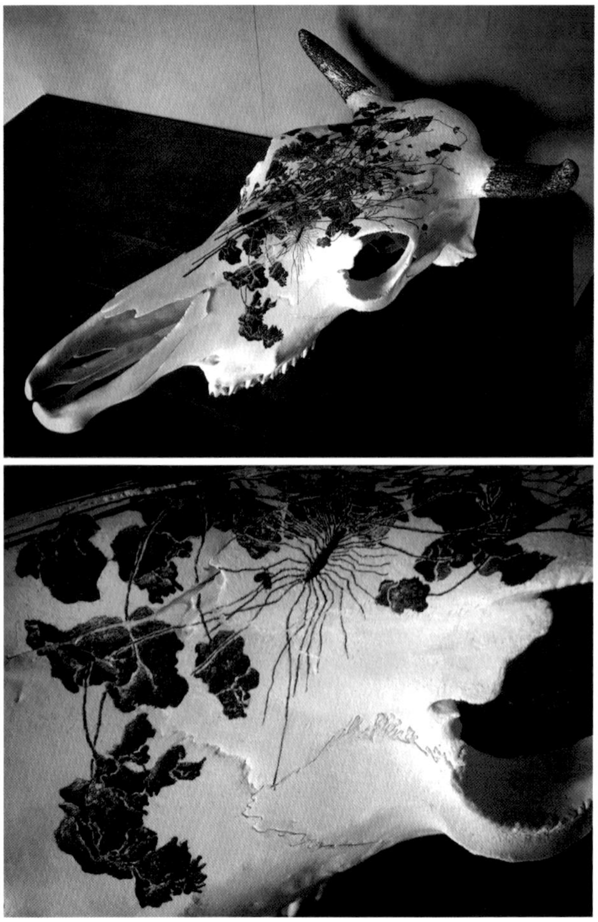

★《悲しみは続かない》2021年、530×370mm、金箔・岩絵具・骨

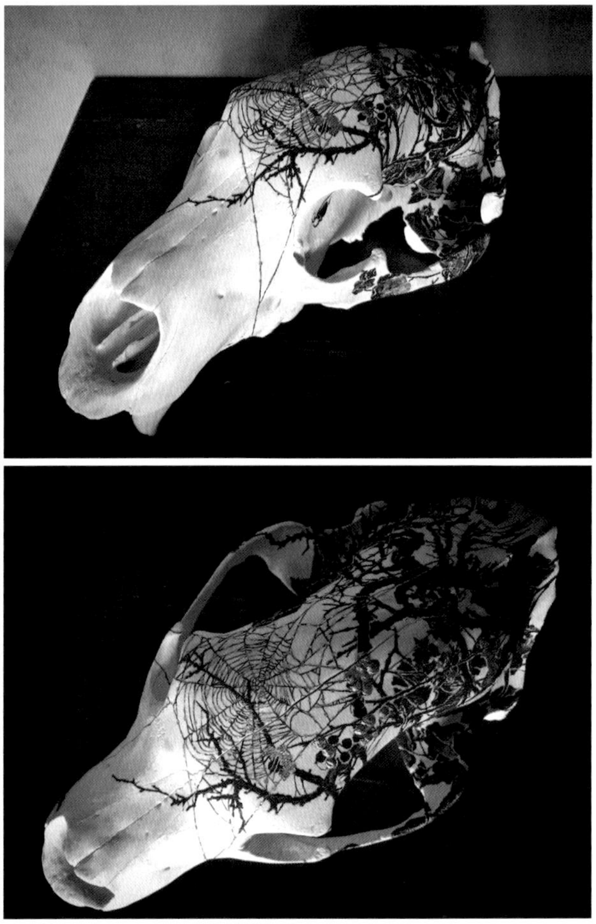

★《再生》2021年、320×190mm、金箔・岩絵具・骨

日本画の画材によって害虫、害獣、雑草の魅力を浮き立たせる

花鳥風月という言葉がある。自然の美しさを愛で、それを詩歌や絵画によって表現すること。日本人の自然を尊ぶ心を表している――ように思えるが、花鳥風月で描かれるものが自然のすべてだと思っているとするなら、それは間違いだ。人間の勝手な美意識によって、愛でる対象は選別されているのである。

例えば死骸に集まる虫を愛でる者はごく稀だろう。しかしその存在は、生と死の循環を担う重要な役割を果たしている。害虫、害獣、雑草と称されるものたちも、この世界に存在価値を持ち、また、必死に生き延びようとしている。それらを蔑み排除してしまってよい理由がどこにあろう?

萩原和奈可は、そうした存在を「愛すべきヒーロー」として光を当てる。

蚊や蠅、蛆などは鑑賞に値するだろうか――そう思われるだろうからこそ萩原は、緻密に描写しつつも、日本画の手法によって神秘性と幻想性を加味し、観る者を惹き付けようとする。岩絵具の光の反射、立体的な盛り上がり、金箔銀箔のきらめきなどを駆使し、ヒーローとしての魅力を浮き立たせる。しかも、着色や素材によってさまざまな表現方法を試みる。

その個展は、ふだん見失っていた自然の摂理に気づかせてくれるものだった。蚊の大群が舞う空が、こんなに美しいとは。画廊の灰色の壁の効果もあって、闇とされていたものの魅力をこっそり覗き見た気分になった。

（沙月樹京）

※萩原和奈可 個展「蔑された小さな命」は、2021年9月16日〜26日に、東京・曳舟のgallery hydrangeaにて開催された。

◉文＝沙月樹京

★《揺らぎの淵》2021年、38×45.5cm、麻紙に岩絵の具・水干絵の具・胡粉・墨・膠

NAGAMI Yuko

永見　由子

★《雨のぬくもり》2021年、27.3×22cm、麻紙に岩絵の具・水干絵の具・胡粉・墨・膠

少女とうつろいをともにする
花や動物たち

★《あかい結び目》2019年、45.5×53cm、麻紙に岩絵の具・水干絵の具・胡粉・墨・金泥・膠

★《甘噛み》2020年、15.8×22.7cm、麻紙に岩絵の具・水干絵の具・胡粉・墨・膠

★《蓮華咲く》2020年、20×13cm、麻紙に岩絵の具・水干絵の具・胡粉・墨・金箔・膠

★（左頁）《マルデルの涙》2019年、27.3×16cm、
麻紙に岩絵の具・水干絵の具・胡粉・墨・金箔・膠

★《森へ還るふたり》2020年、21×16cm、アルシュ紙に鉛筆

瞬間瞬間で揺らぐ
少女の無垢な心を描き留める

★《Blessing》2019年、18×13cm、アルシュ紙に鉛筆

主に日本画によって、少女をモチーフにした絵画を描き続けている永見由子。素朴で無垢で、記憶の底に眠っていたものがふと蘇ったかのような、どこか懐かしい空気感に包まれた少女だ。

少女はじっと押し黙り、物憂げな視線を投げかけている。その儚げな姿は、まばたきをした瞬間に見失ってしまいそうだ。永見は、そのわずかな瞬間を——次の瞬間に心変わりしてしまうかもしれない少女の、ほんの一瞬を——絵に描き留める。舞う髪やリボンは、時の流れの中でうつろうその心を表象しているかのようだ。

そして、少女とともにあるのが、花や蝶、動物たちだ。それはうつろう心を投影したものなのか、それとも、うつろいから少女を護るものなのか。いずれにしろ少女が、モノなどではなく、花や動物といった、うつろい、やがて死を迎える存在に囲まれていることは指摘されていいだろう。《あかい結び目》の少女が放ったシャボン玉もまた、儚く消えゆくものだ。

おそらく永見は、永遠の存在を幻想しない。少女という存在を通して、うつろいによって生じる機微を描き出す。そのうつろいをともにする存在として、花や動物がいる。

花や蝶、虫たちに囲まれた少女の絵は《Blessing》と名付けられている。つまり、神の恵み、恩恵、祈り。少女の思いはまさに、花や虫などとともにある。

（沙月樹京）

◉永見由子 個展「揺らぎの淵」
2022年1月20日（木）〜30日（日）
火・水休
13:00〜18:30（最終日〜17:00）
入場無料
場所／東京・曳舟 gallery hydrangea
https://gallery-hydrangea.shopinfo.jp/

◉文＝沙月樹京

TAMA Kanako

珠　かな子

花を多重露光することで
モデルに備わっている
「幸せの魔法」を強くする

写真家—モデルの距離感が揺らぐ瞬間にきらめく素の原初の力

珠かな子が、七菜乃をモデルに撮影したものを写真集『肌に降る七星』にまとめ、神保町画廊で出版記念展を開催した。ふたりはともに、写真家・村田兼一のモデルをつとめたことを端緒として、自らカメラを構えるようになった経歴の持ち主だ。その活躍はいずれも目覚ましく、個展の開催や写真集の出版なども精力的におこなっている。

『肌に降る七星』に収められた写真の数々からは、珠かな子と七菜乃の、非常に親しい関係性が伝わってくる。だが、かといって、それは家族や仲間のさりげない日常を撮るようなスナップショット的なものではなく、写真家—モデルの関係性はちゃんと維持されている。あるシチュエーション、世界観のもと、七菜乃はその世界にふさわしい存在を演じ、珠はそれをとらえる。

しかし、そうした写真家—モデルの距離感が微妙に揺らぐ瞬間がうかがえるところが、その写真を特別なものにしていると思う。そこに、写真集の紹介文でも書かせていただいた「生まれつき素に備わった原初の力」がきらめくのだ。

出版記念展では、写真集には掲載されていない多重露光写真も展示された。多重露光は、珠が近年試みているもので、モデルに花などのイメージを重ねる。本記事で掲載したのは、その多重露光作品だ。

珠は、2021年2月に開いた個展に際して、次のようなステートメントを綴った。「女の子として生まれた私たちには／幸せの魔法と呪いがかかっていて／私は彼女達の魔法と呪いを少しだけのぞかせて貰って／幸せの魔法が強くなるようにと季節の花をそっと託すのだ」

その「花」は、多重露光で使われる花と重ね合わされているのだろう。花を多重露光することでモデルの「幸せの魔法」を強くする。同時にその花のベールは、身体から溢れ出たモデルの「幸せ」を視覚化したものにも見える。その結果、写真に少々ドラマチックさが増し、元の写真とはまた違った味わい深さを醸していると言えよう。

（沙月樹京）

★珠かな子 写真集『肌に降る七星』
B5判・80頁・定価税別2500円
発行：アトリエサード、発売：書苑新社
詳細・通販 http://www.a-third.com/

※珠かな子写真展「肌に降る七星」は、2021年10月15日〜24日に、東京・神保町の神保町画廊にて開催された。

PICK UP ARTISTS

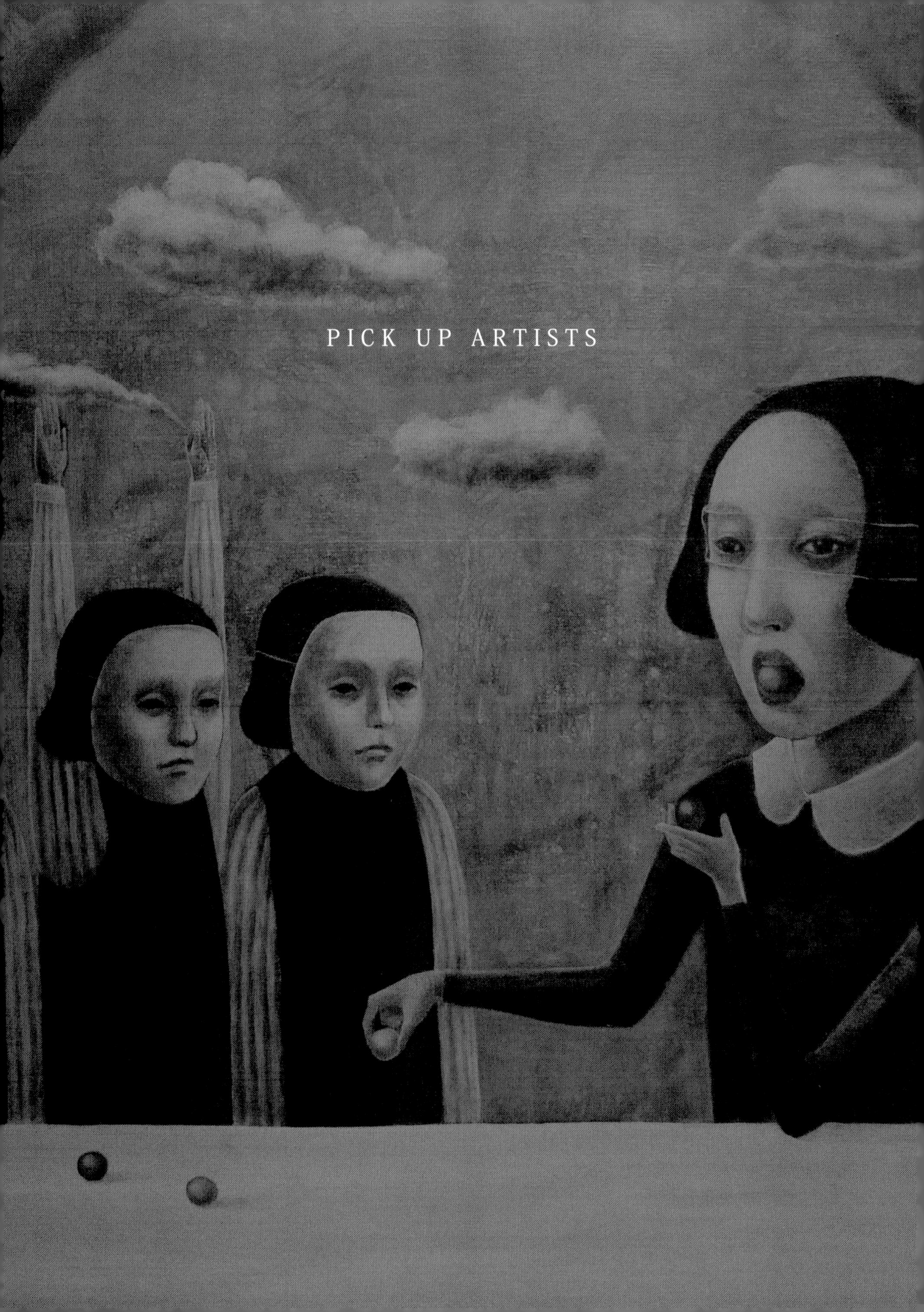

SHIIKI Kanae

椎木　かなえ

◉文＝沙月樹京

★《大切なこと》2021年、530×455mm、油彩 / キャンバス

★《嘘を吐く》2021年、530×455mm、油彩 / キャンバス

絵の中の人物はとても深刻そうで、
可笑しくてクスクスと笑ってしまいます

★《Happy Birthday ～黄色い風船～》2021年、242×333mm、油彩 / キャンバス

★《Happy Birthday ～赤い風船～》2021年、242×333mm、油彩 / キャンバス

★《形而上学的な》2021年、242×333mm、油彩 / キャンバス

★《守る》2021年、410×318mm、油彩 / キャンバス

★《概念》2021年、410×318mm、油彩 / キャンバス

★《誇りと恥 ～恥～》2020年、410×530mm、油彩、銀箔 / キャンバス

★《陰鬱な遊び ～夢～》2020年、530×455mm、油彩 / キャンバス

★《陰鬱な遊び 〜球体〜》2020年、318×410mm、油彩 / キャンバス

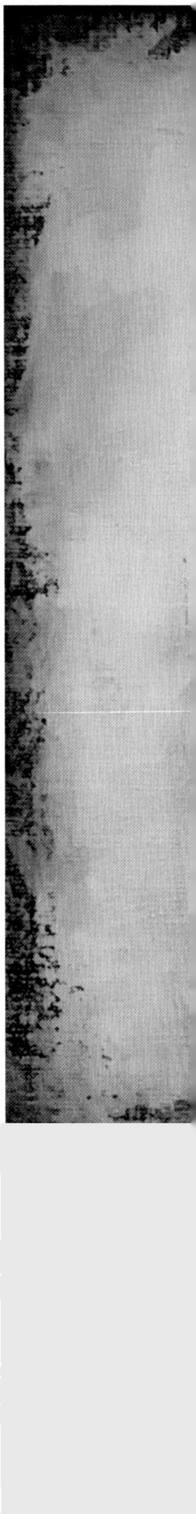

★《青い空の下で〜椅子〜》2019年、606×727mm、油彩 / キャンバス

★《青い空の下で〜気球〜》2019年、727×606mm、油彩／キャンバス

奇妙なイメージとユーモラスさが混淆した奥深い幻想の光景

　椎木かなえは、絵と対話する。絵の声を聞きながら、それが欲するイメージを画面に定着させていく。描いていくうちに最初のイメージが上塗りされ、まったく別のものに変わってしまうこともしばしばだ。顔の中から顔が覗いたり、変なところから手足が生えていたり、奇妙極まりないが、それらによって奥深い幻想性に満ちたイメージが作り上げられている。

　その椎木が、今回の個展のテーマにしたのが「笑い」だ。だがもちろん、見ての通り、描かれる人物は笑ってはいない。むしろ眉間にシワを寄せ、あえてムッとした表情をしているものもいる。

　椎木は言う。他人事のように。

「絵の中の人物たちは、笑うことをかたくなに拒みます。いつもとても深刻そうです。私は、彼らが深刻そうな顔をすればするほど、可笑しくてクスクスと笑ってしまいます。深刻な顔をして、とても楽しそうです」。

　そのユーモラスさは、闇の気配が強かった初期の椎木の作品にはあまり見られないものだった。そこにやがて、おかしみを感じさせる奇妙さが漂うようになった。しかもその「笑い」は、絵の人物を侮蔑するものではなく、愛おしい愛情からくるものだ。

　もうひとつ椎木の変化は、今回の展示作の多くが、空を背景にしていることである。これまで背景は、茫漠とした抽象的なマチエールで占められることがほとんどだった。閉塞的な空間の中で幻想が繰り広げられていた。

　その幻想が、空を背景にすることで、一気に広い世界へ解き放たれた印象だ。空と何もない地平線があるだけだが、それが醸す遠近感が、椎木の世界の幻想をさらに立体的にしている。この光景が今後どのように展開していくか、それも楽しみだ。

（沙月樹京）

★椎木かなえ 画集
『同じ夢〜Same Dream〜』
A5判・64頁・定価税別2750円
発行：アトリエサード、発売：書苑新社
詳細・通販 http://www.a-third.com/

※椎木かなえ個展「笑う」は、2021年9月4日〜22日に、大阪・中崎町のSUNABAギャラリーにて開催された。

●文＝沙月樹京

★《仮象1》2020-2021年、240×330mm、ジェッソ・油絵具・鉛筆 / キャンバス

KANAZAWA Kohta

金澤　弘太

★《仮象5》2021年、470×570mm、ジェッソ・油絵具・鉛筆 / 木製パネル

★《仮象7》2021年、490×700mm、ジェッソ・油絵具・鉛筆 / 木製パネル

★《仮象6》2021年、455×530mm、ジェッソ・油絵具・鉛筆 / 木製パネル

心に棲まう人物が、
ふっと一瞬だけ姿を現したかのような
存在の希薄さ

★《仮象4》2021年、319×410mm、ジェッソ・油絵具・鉛筆・アクリル・オイルパステル / キャンバス

★《仮象3》2020-2021年、319×410mm、ジェッソ・アクリル・油絵具・鉛筆 / キャンバス

★《仮象9》2021年、490×700mm、
ジェッソ・油絵具・鉛筆 / 木製パネル

★《仮象8》2021年、490×700mm、ジェッソ・油絵具・鉛筆 / 木製パネル

★《仮象11》2021年、210×297mm、ジェッソ・油絵具・鉛筆 / 木製パネル

★《仮象10》2021年、210×297mm、ジェッソ・油絵具・鉛筆 / 木製パネル

★《仮象13》2021年、210×297mm、ジェッソ・油絵具・鉛筆 / 木製パネル

★《仮象12》2021年、210×297mm、ジェッソ・油絵具・鉛筆 / 木製パネル

落書きのような画面に浮かび上がる、繊細で儚げな人物像

★《仮象2》2021年、158×228mm、ジェッソ・アクリル・鉛筆・クレヨン / 木製パネル

まるでそれは、古びた壁か、使い古された木の家具の側面か、そんなところに残された落書きのように見えた。アクリルや油絵の具による荒々しい絵肌。シミで出来たかのような色ムラ。引っ掻き回したような傷。そこに人物像が浮かび上がっている。

その人物像には、特定のモデルがいるわけではないという。その像は落書きのようで、だが確かな存在感を浮かび上がらせている。背景の大胆な荒々しさや抽象性とは対照的に、鉛筆によって繊細に描かれていることが、印象深い。しかも鉛筆であるがゆえに、儚く消え去りそうな雰囲気を湛え、心に棲まう想像上の存在が、ふっと一瞬だけ姿を現したかのようなイメージだ。その図像の儚さに、この世に存在することの虚ろさを感じ取ることもできるだろう。

古びた壁の落書きのよう、という表現をしてしまったが、太い線で、まさに子供の落書きのように乱雑な線を描き加えた作品もある。それはときに人物像の上から描画され、人物の希薄さ、儚さを強調すると同時に、郷愁のようなものを増す効果をもたらしているようにも思う。かつて誰かがした落書き。その落書きの彼方に存在した誰か。その人物の体温も伝わってきそうだ。

金澤弘太は仙台、石巻を拠点に活動しており、石巻の ART DRUG CENTER 内の押入れを賃貸し「ワクチン」というギャラリースペースの運営もおこなっている。仙台や石巻以外で個展を開催するのは今回が初めて。このイノセントなイメージは、今後どのように変化していくのだろう。

（沙月樹京）

※金澤弘太 個展「仮象」は、2021年8月28日〜31日に、大阪・中崎町のSUNABAギャラリーにて開催された。

●文=沙月樹京

★《ここから、》2021年、242×333mm、油彩・キャンバス

★《私の為に捧げる穢れた祈り》2021年、273×410mm、油彩・キャンバス

SHIZUKUISHI Tomoyuki

雫石　知之

★《自縛の呪縛》2021年、410×530mm、油彩・パネル

自罰感情と反骨心、さまざまな感情を
「裸体の土下座」に凝縮

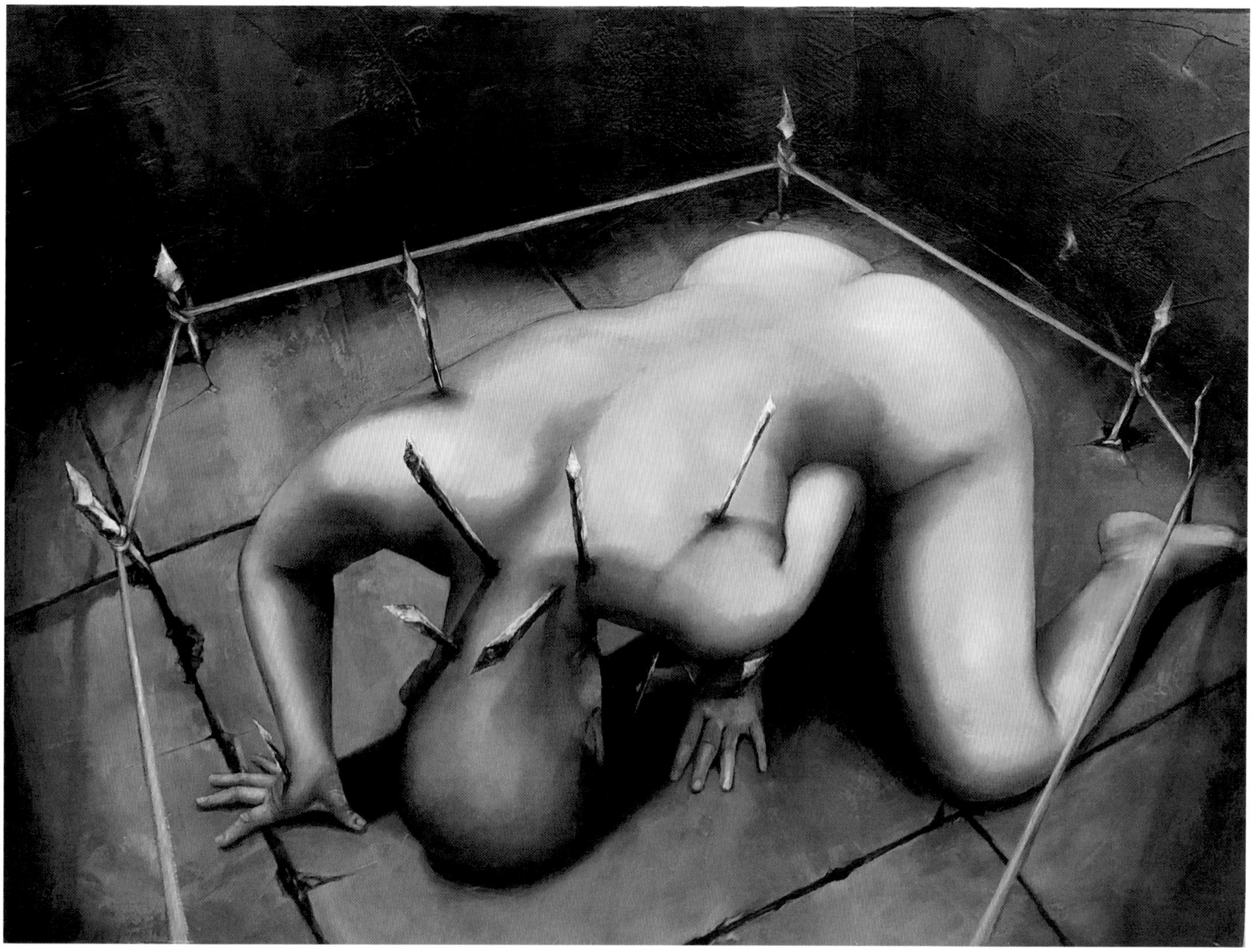

★《立ち上がる覚悟を、》2021年、242×333mm、油彩・キャンバス

★《この重さが辛いと言っていいだけのものだかわからなくて、》2021年、242×333mm、油彩・キャンバス

★《貴女の中に還りたい》2021年、455×333mm、油彩・キャンバス

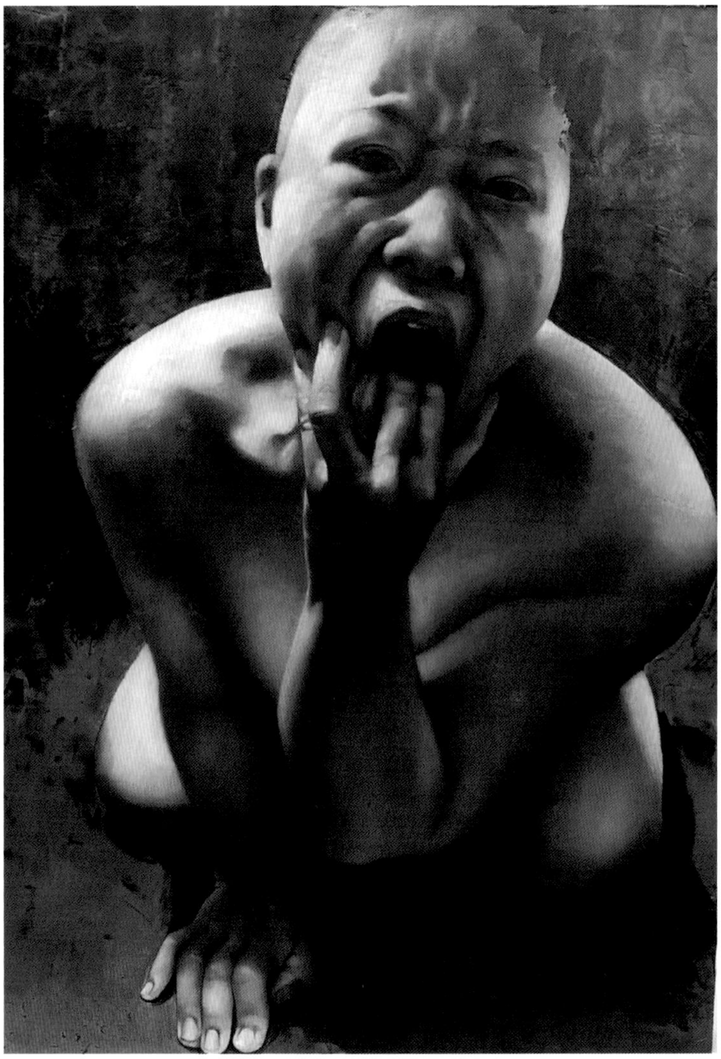

★《反吐が出る》2021年、455×333mm、油彩・パネル

★《ごめんなさいごめんなさいでももう…》2021年、410×273mm、油彩・キャンバス

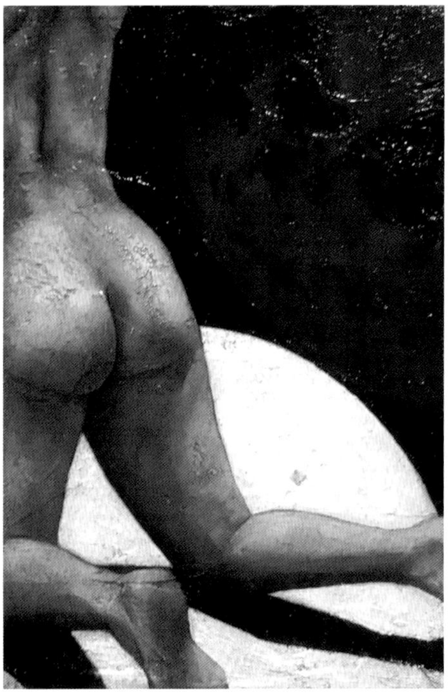

★《あなたがいる場所へいきたかった。》2021年、
148×100mm、油彩・キャンバス

★《誰も居ない私の神の席》2021年、273×220mm、油彩・キャンバス

★《お前に見える程度の何を晒しても私は一切痛まない》2021年、1167×727mm、油彩・パネル

★《泣き崩れる声に音などない、》2021年、158×227mm、アクリル・キャンバス

★《祈りではなく、乞うばかり》2021年、273×220mm、水彩・鉛筆・ペン・木炭紙・パネル

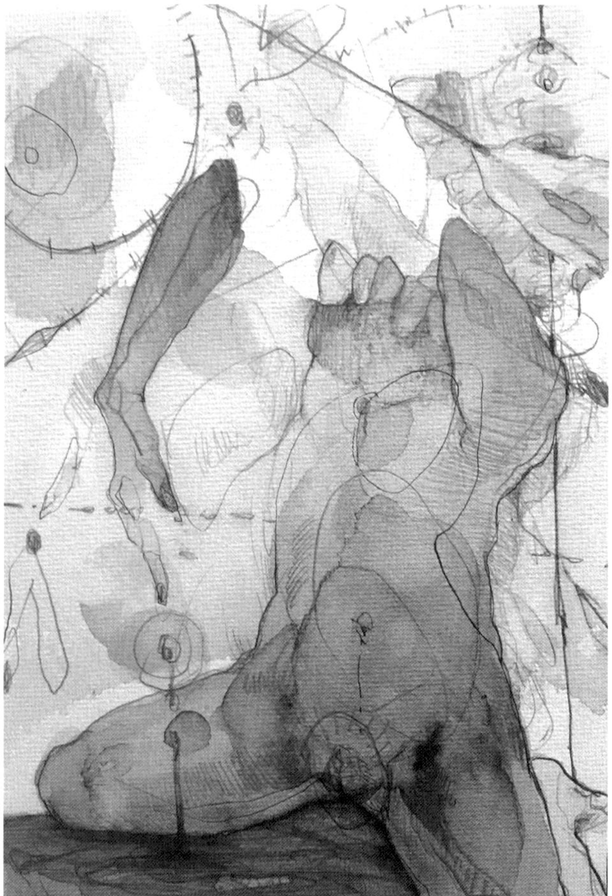

★《灼かれ堕ちる》2021年、227×158mm、水彩・鉛筆・ペン・木炭紙・パネル

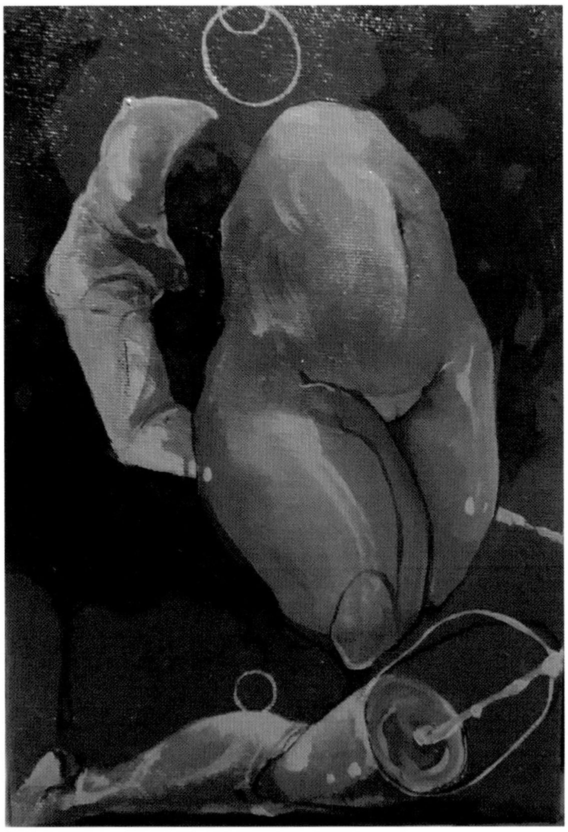

★《オーバー》2021年、227×158mm、アクリル・キャンバス

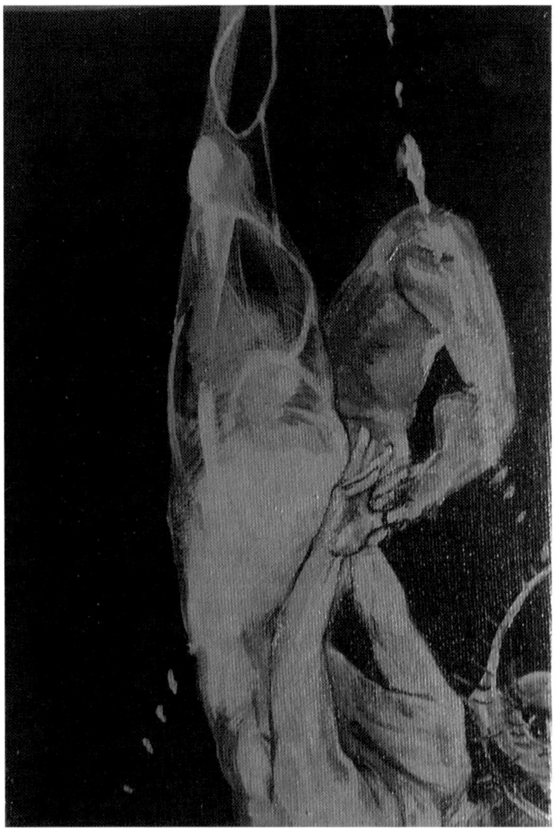

★《この音をきいて》2021年、227×158mm、アクリル・キャンバス

内面で渦巻くさまざまな感情に 実直に対峙し続ける

テーマは「土下座」だという。膝を折って地面に這いつくばり、ときには顔を床に擦り付けるように突っ伏す。かと思えば、その心情を吐露するかのように、醜く歪んだ顔をこちらに向けているものもある。ちなみにその姿は、作家自身だ。

雫石は個展のステートメントで、幼少のころただひとり頼りにしていた、優しく許してくれる存在だった祖母への複雑な感情を吐露している。祖母には見せたくない自身の醜悪さと自罰感情。だが、祖母ならそんな自分も抱きしめてくれるのではないかという甘え。そんな祖母を、ニューヨークの教会で見て心打たれたマリア像に重ねる。守ってほしい。だが自罰感情にしっかりと向き合いたい。個展タイトル「お願いします、どうか許して、どうぞ、ゆるさないでください。」には、そのアンビバレンスな思いがにじむ。

しかし雫石が描く「土下座」は、単に許しや慈悲を乞うものではない。杭が刺されたり《立ち上がる覚悟を。》、髪を床に接着されたり《ごめんなさいごめんなさいでもう…》しても、決して屈せず、この頭を持ち上げてやるという、反逆心を秘めた「土下座」でもあるのだ。その意思が《お前に見える程度の何を晒しても私は一切痛まない》の表情に見て取れる。それは当初は怯えの表情だったが、やがて反抗的な表情に変わっていったのだという。自罰感情から反逆心まで、自分自身の中で蠢きあう得体の知れないさまざまな情動が「土下座」に凝縮されているのである。

また、どの絵も全裸であることも重要だろう。それは、隠しごとのない素の姿で許しを乞いたいという意思の表明であり、と同時に、裸を晒そうがお前には絶対屈しないという気骨の表明でもある。そこには、自分自身に真っ向から対峙したいという実直な思いもみなぎり、結果、嘘偽りのない感情の渦が、観る者に突き刺さるのだ。

雫石はこれまで、さまざまなシチュエーションの元に女体を描いてきた（2020年の個展で描いたのは、工事現場で使われるフルハーネスで吊るされた裸体だ）。今回は土下座というポーズの特質上、顔が描かれることが少なく、抽象的またはシュールな画面の中に女体が描かれた作品が並んだ。赤色もアクセントとして効いていて、よりシンプルに女体の存在感が際立つ個展になった。

一方、油彩以外では、この見開きに掲載した作品のように、身体が歪な塊に変貌したものが目につく。もしかしたら雫石自身も、さまざまな感情のベクトルによってこのように引き裂かれそうになっているのかもしれない。情動がストレートに感じられて、これらの作品も興味深いものがあった。

（沙月樹京）

★《きもちわるい》2021年、227×158mm、アクリル・キャンバス

※雫石知之 個展「お願いします、どうか許して、どうぞ、ゆるさないでください。」は、2021年10月22日〜31日に、東京・西荻窪のGallery FACE TO FACEにて開催された。

◉文＝沙月樹京

★呪みちる《マッド流子》2021年、127×178mm、カラーインク・墨汁

◉REPORT◉

呪みちる×古川沙織
「残酷な子供たち」展

★呪みちる《アクエリアス犬子》2021年、178×127mm、カラーインク

残酷さとは、少女の中に秘められた、
大人の良識を超えたパワー

★呪みちる《ブラックマジック百合子》2021年、178×127mm、カラーインク

★呪みちる《スパズモ聖子》2021年、178×127mm、カラーインク・墨汁

★呪みちる《トーチャー凶子》2021年、178×127mm、カラーインク

★呪みちる《ギロチン紅子》2021年、178×127mm、カラーインク・墨汁

★呪みちる《サトルノ魔子》2021年、178×127mm、カラーインク・墨汁

★古川沙織《白い狂気》2021年（レタッチ）、350×210mm、ペン・インク

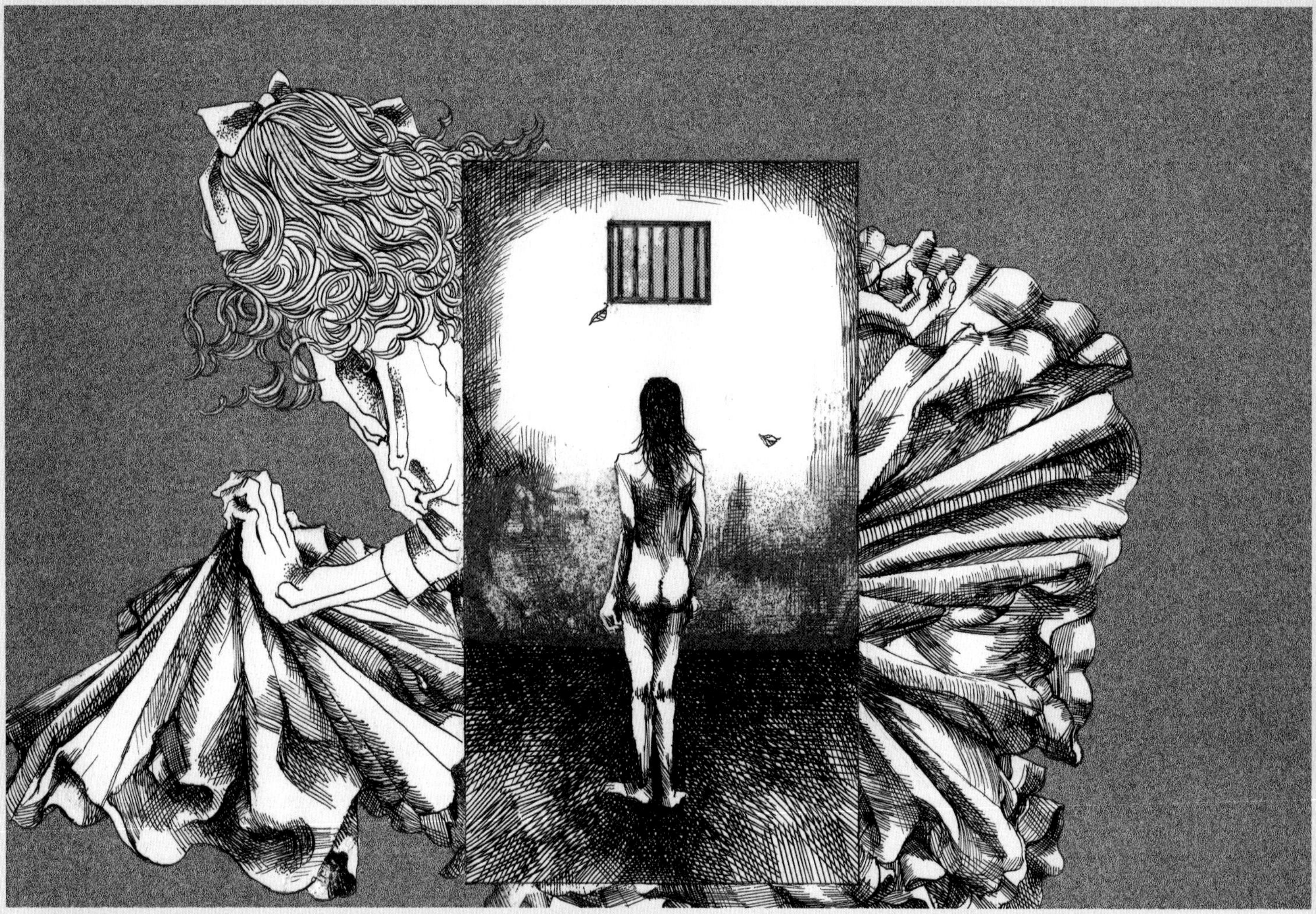

★古川沙織《死のダンス》2021年（レタッチ）、155×230mm、ペン・インク

★古川沙織《赤い靴》2021年、75×95mm、ペン・インク・アクリル絵の具

★古川沙織《魔法使い》2021年、135×75mm、ペン・インク・アクリル絵の具

★古川沙織《楽園》2021年、230×175mm、ペン・インク・アクリル絵の具

★古川沙織《シレーヌ》2021年、130×95mm、ペン・インク・アクリル絵の具

★古川沙織《ばらの天使》2021年、127×99mm、ペン・インク・アクリル絵の具

子供の持つ「残酷」をあぶり出し、または子供を「残酷」の中に封じ込める

子供は残酷だ。なぜかってそれは、大人たちが作り上げたルール、暗黙の了解のもとに生まれた倫理、良識に染まっていないからだ。逆に言えば、大人たちの凝り固まった想像力を打ち破る力が、子供たちにはある。だからわれわれは子供の物語を想像／創造し、子供のなす所作を思い描き、大人になって失ってしまった「何か」の欠片を取り戻そうとする。

それはもちろん、「残酷」に触れることでもある。

呪みちるは、ご存知、ホラー漫画家だ。デビュー以来、少女ホラー誌やレディースコミック誌を中心に、おどろおどろしくも美しい漫画を発表。展示活動もおこない、綿密に描き込まれた色彩豊かな作品は、陰惨でキッチュでありながら美学に貫かれ、人気も高い。

今回の展示では、7人の残酷少女たちを描き下ろした。生首持ったり血まみれになったり齧りついたりと、さすがの躍動感だが、自転車をこぐ少女のサイケな背景などは呪ならではのセンスだろう。こうした残酷さによって、呪は少女の中に秘められた、大人の良識を超えたパワーをあぶり出す。

一方、古川沙織は、奴隷のような不遇な運命にある罪深くいたいけな少女を、背徳的かつ耽美な空気の中に描き出してきた。そこで少女が「残酷」を受け入れているのは、大人の倫理をまだ知らないからだろう。その不幸を古川は、哀しみ伴う悦楽で染め上げ、そして「残酷」は甘美なものになる。

《白い狂気》における、黒い背景の中に浮かび上がる骨の浮き出た肢体がわずかな光で照らされているように、《死のダンス》で背を向けた少女が鉄格子の向こうの光を見上げているように、希望のようなものが示唆される場合はある。だが古川はその少女らを、決して「残酷」から解放したりはしないだろう。それは、そうしたらその存在が、少女でなくなってしまうからだ。（沙月樹京）

※呪みちる・古川沙織二人展「残酷な子供たち」は、2021年11月6日〜21日に、東京・千駄木のGallery 幻にて開催された。

●文＝沙月樹京

★《Fire is a good servant but a bad master》2021年、318×410mm、アクリル・油彩 / キャンバス

Sitry

Sitry

★《甘美な腐乱》2021年、380×455mm、アクリル・油彩 / キャンバス

終わりを自覚し変化していくとき、
腐乱に似た強い魅力的な香りが香る

★《トニー、僕、怖いんだ》2021年、318×410mm、アクリル・油彩 / キャンバス

★《アプリコット》2021年、242×333mm、アクリル・油彩 / キャンバス

★《子の名前はエイドリアン》2021年、242×333mm、アクリル・油彩 / キャンバス

★《いいのよチャーリーあなたは大丈夫》2021年、242×333mm、アクリル・油彩 / キャンバス

★《衛生管理》2021年、242×333mm、アクリル・油彩 / キャンバス

★《充血》2021年、242×333mm、アクリル・油彩 / キャンバス

★《釣針》2021年、242×333mm、アクリル・油彩 / キャンバス

★《鉄王冠》2021年、242×333mm、アクリル・油彩 / キャンバス

★《モクレン》2021年、242×333mm、アクリル・油彩 / キャンバス

★《悪魔の器》2020年、318×410mm、アクリル・油彩／キャンバス

★《あなたに従うがごとく》2021年、242×333mm、アクリル・油彩 / キャンバス

★《beach》2020年、242×333mm、アクリル・油彩 / キャンバス

★《飾り》2021年、242×333mm、アクリル・油彩／キャンバス

厭世観漂わせ 虚ろな視線を放つ 少年少女の美

描かれるのは、主に美少年。アンニュイな表情で虚ろな視線を投げかけ、画面は頽廃的な雰囲気に満ちている。

Sitryが最初発表していたのは、デジタル作品。その作品では写真のようにリアルな表現で、魚などを挿した植木鉢を抱えたり、不気味な食卓に身を横たえたりと、異様な光景の中に空疎感漂わせた少年の姿を描いている。油彩作品でも世界観はそのままだが、筆のタッチを残しているがゆえに、人物の醸す情感が増している。

今回の個展タイトルは「甘美な腐乱」という。「腐敗が進むと独特の強い匂いが強くなるように、人もまた同じく、現状の終わりを自覚し変化していくときほど強い魅力的な香りが香ると思います」。厭世的な世界観と腐敗を重ね合わせ、そこに立ちのぼるすえたような芳香を、人物が放つ美と共鳴させる。そうして出現するのは、絶望に彩られた危うく甘美な光景。

しかもそこには、ライティングの妙もあるだろうか、映画のシーンを観るかのようなドラマチックさも感じられる。腐乱の果てにやがてこの世から消え去っていく前、瞬間の美を、そのドラマチックさでより印象的に浮かび上がらせている。危険な誘惑に満ちた作品たちだ。

（沙月樹京）

※Sitry個展「甘美な腐乱」は、2021年9月25日〜29日に、大阪・中崎町のSUNABAギャラリーにて開催された。

◎TH Art series

◎話題書

「甲秀樹 人体デッサン 男性ポーズ集 ディープシーン」
978-4-88375-455-7／B5判・160頁・ハードカバー・税別2700円
●ソロ、回転アングル、フェティッシュ、絡みなど裸体ポーズ写真を約500点収録。こんなディープシーンを描きたかった！ 絵描きのバイブル！

たま 画集「Deep Memories〜少女主義的水彩画集VII」
978-4-88375-451-9／B5判・64頁・ハードカバー・税別2700円
●深く落ちた記憶の欠片、透明な絵の具で彩って、5つに束ねて留めました。記憶の底にある、可愛らしくも不気味な楽園にようこそ！

須川まきこ(絵) 最合のぼる(文・写真・構成)
「甘い部屋〜暗黒メルヘン絵本シリーズ4」
978-4-88375-457-1／B5判・64頁・カバー装・税別2255円
●「一寸法師」「鶴の恩返し」など、おなじみの童話を元に生み出された、須川まきこと、最合のぼるによるヴィジュアル物語！

珠かな子 写真集「肌に降る七星」
978-4-88375-446-5／B5判・80頁・カバー装・税別2500円
●「日差しを浴びてその肌は、小さな星屑がスパークするかのようにきらめいていた」――珠かな子が、七菜乃の原初の力と「蜜」を写す！

珠かな子 写真集「いまは、まだ見えない彗星」
978-4-88375-371-0／B5判・64頁・ハードカバー・税別2700円
●私にとってセルフポートレートは〝可愛さと強さの脅迫〟だ。私たちには無数の未来があって、女の子は強くなれる。待望の写真集!!

駕籠真太郎 画集「死詩累々」
978-4-88375-403-8／A4判・128頁・カバー装・税別3200円
●奇想漫画家・駕籠真太郎、初の本格的画集！ 猟奇的だけど可愛らしく、アブノーマルだけどユーモラスな、不謹慎すぎるアートワークの全貌！

小川貴一郎 作品集「監禁芸術 confinement art」
978-4-88375-419-9／A5判・128頁・カバー装・税別2500円
●1日目、イヴ・サンローランに蟻を描いた。COVID-19の流行で渡仏が延期になり、緊急事態宣言発令中、家にこもって制作し続けた芸術の記録。

◎写真集

美島菊名 写真作品集「HOPE」
978-4-88375-308-6／B5判・64頁・ハードカバー・税別2750円
●少女よ あなたは 世界を変える――少女の無垢と欲望を、インパクトあるヴィジュアルで表現してきた美島菊名、初の写真作品集！

村田兼一 写真集「女神の棲家」
978-4-88375-416-8／B5判・96頁・ハードカバー・税別3200円
●古の女神を現代の少女に重ね合わる――魔術的なエロスやタナトスと、御伽のような叙情性が混交する村田兼一写真集、第7弾！

谷敦志 写真集「Flowers and Nudes」
978-4-88375-284-3／A4判・64頁・ハードカバー・税別3800円
●透き通るような静けさをまとう、ヌードと花。進化し続ける孤高のアーティストの「今」が詰まった、最新写真集！ A4サイズの豪華版！

谷敦志 写真集「アンビバレンス」
978-4-88375-148-8／A5判・64頁・ハードカバー・税別2800円
●ダークでカオティック、フェティッシュでアヴァンギャルド、そして最高にスタイリッシュ！ 異型の写真家の処女写真集！！

◎北見隆作品集

北見隆 装幀画集「書物の幻影」
978-4-88375-398-7／B5判・96頁・ハードカバー・税別3200円
●赤川次郎、恩田陸、中島らも、津原泰水…あのワクワクは、この絵とともにあった！ 40年の装幀画業から、約400点を収録した決定版画集！

北見隆 作品集「本の国のアリス〜存在しない書物を求めて」
978-4-88375-223-5／A5判・64頁・ハードカバー・税別2750円
●本そのものが、「アリス」の物語の、愉快な舞台(ワンダーランド)に！ 本の形をした〝ブックアート〟を中心に、不思議な物語に満ちた作品集!!

◎幻想画集

高田美苗 作品集「箱庭のアリス」
978-4-88375-393-2／B5判・64頁・ハードカバー・税別2700円
●混合技法によるタブローから銅版画まで、少女をモチーフとした夢幻世界を描き続ける高田美苗の軌跡を集約した、待望の作品集！

スズキエイミ 作品集「Eimi's anARTomy 102」
978-4-88375-358-1／B5判・64頁・ハードカバー・税別2750円
●"美の本質は肉体、肉体の本質は死"。名画などを巧みに組み合わせて作り上げられた解剖学的でシニカルな美の世界。国内初の作品集！

森環 画集「愛よりも奇妙〜Stranger than love」
978-4-88375-264-5／B5判・64頁・ハードカバー・税別2750円
●なんて奇妙な、ワンダーランド！「ボローニャ国際絵本原画展」入選など、不思議な世界観で人気の画家の幻想的な鉛筆画集！

椎木かなえ 画集「同じ夢〜Same Dream〜」
978-4-88375-252-2／A5判・64頁・ハードカバー・税別2750円
●闇に住まう人の、いびつな愛と、不穏な夢。奇妙で秘儀的な心象風景が、観る者を夢幻の世界へ導く、椎木かなえの初画集!!

町野好昭 画集「La Perle(ラ・ペルル)―真珠―」
978-4-88375-132-7／A5判・64頁・ハードカバー・税別2800円
●中性的な少女の純化されたエロスを描き続けてきた孤高の画家、町野好昭の幻想世界をよりすぐった待望の作品集！

◎杉本一文画集

「杉本一文『装』画集〜横溝正史ほか、装画作品のすべて」
978-4-88375-287-4／A4判・128頁・カバー装・税別3200円
●横溝正史といえば、杉本一文。数多く手がけてきた装画作品の中から、横溝作品を中心に約160点を精選して収録した待望の画集!!

「杉本一文銅版画集」
978-4-88375-286-7／A5判・128頁・カバー装・税別2500円
●幻想とエロスの桃源郷――杉本一文のもうひとつの顔、銅版画の代表作を装画作品から蔵書票まで約200点収録！

◎暗黒メルヘン絵本シリーズ

鳥居椿(絵) 最合のぼる(文・写真・構成)
「青いドレスの女〜暗黒メルヘン絵本シリーズ3」
978-4-88375-427-4／B5判・64頁・カバー装・税別2255円
●こんな美しい悪夢なら毎晩でも見たい――深澤翠／不穏な空気感で少女を描く鳥居椿と、最合のぼるによるヴィジュアル物語！

たま(絵) 最合のぼる(文・写真・構成)
「夜間夢飛行〜暗黒メルヘン絵本シリーズ2」
978-4-88375-392-5／B5判・64頁・カバー装・税別2255円
●《暗黒メルヘン絵本シリーズ》第2弾は少女主義的水彩画家・たまが登場！「残酷で愛らしい、手加減なしの毒入り絵本です」―林美登利

◎人形・オブジェ作品集

「Dolls in labyrinth〜田中流・人形写真館」
978-4-88375-449-6／A5判・112頁・並製・税別1636円
●球体関節人形たちの夢の迷宮。可愛らしかったり妖しげだったり…田中流が、12人の人形作家の作品の魅力を写し出した写真集。

田中流 球体関節人形写真集「Dolls〜瞳の奥の静かな微笑み」
978-4-88375-373-4／A5判・96頁・カバー装・税別2300円
●若手からベテランまで、多彩なタイプの球体関節人形を撮影し、その魅力とともに、現代の創作人形の潮流をも写した写真集!!

神宮字光 人形作品集「Cocon」
978-4-88375-378-9／A5判・64頁・ハードカバー・税別2700円
●ビスクなどで作られた愛おしい人形達がさまざまなシチュエーションの中で遊ぶ、かわいくも、ときにシュールでミラクルな世界！

清水真理 人形作品集「Wonderland」
978-4-88375-364-2／B5判・64頁・ハードカバー・税別2750円
●肉体と霊魂、光と闇、聖と俗…それらの狭間で息づく、人形たちのワンダーランド。多彩な活躍を続ける清水の近年の作品の魅力を凝縮！

ホシノリコ 作品集「蒼燈のばら」
978-4-88375-326-0／B5判・64頁・ハードカバー・税別2750円
●艶かしく息づく球体関節人形、幻想的な物語奏でるオブジェ。ホシノの10年の歩みをまとめた待望の作品集！ 写真＝吉田良、田中流

与偶 人形作品集「フルケロイド FULLKELOID DOLLS」
978-4-88375-265-2／A5判・68頁・ハードカバー・税別2750円
●園子温推薦！ 多くの人の心に突き刺さっている、凄みのある作品たち。20年の作家生活をここに総括。横4倍になる綴じ込み2枚付！

木村龍 作品集「光速ノスタルジア」
978-4-88375-245-4／B5判・96頁・ハードカバー・税別3500円
●ボックスアートから彫像的作品、球体関節人形、絵画などまで、妖美で奇矯、かつ純真な世界を濃密に凝縮した、待望の初作品集！！

林美登利 人形作品集「Night Comers〜夜の子供たち」
978-4-88375-288-1／A5判・96頁・ハードカバー・税別2750円
●異形の子供たちは、夜をさまよう――「Dream Child」に続く、人形・林美登利、写真・田中流、小説・石神茉莉のコラボ、第2弾！

◎少女系画集

たま 画集「Calling〜少女主義的水彩画集VI」
978-4-88375-357-4／B5判・52頁・ハードカバー・税別2750円
●"現代の少女聖画"。ダーク＆キュートな作風で人気のたまの画集、第6弾！ 折込み塗り絵や、中野クニヒコによる立体作品も収録！

安蘭 画集「BAROQUE PEARL〜バロック・パール」
978-4-88375-213-3／A5判・72頁・ハードカバー・税別2750円
●哀しみや痛みなどを包み込み、いびつだからこそ心を灯す、安蘭の"美"。耽美画家・安蘭の約10年の軌跡を集約した待望の画集！

深瀬優子 画集「Kingdom of Daydream〜午睡の王国」
978-4-88375-167-9／A5判・64頁・ハードカバー・税別2750円
●油彩とテンペラの混合技法などによりメルヘンチックで愛らしく、でも少しシュールな作品を描き続けている深瀬優子の初画集！

須川まきこ 画集「melting〜融解心情」
978-4-88375-137-2／A5判・112頁・ハードカバー・税別2800円
●欠けていることのエレガンスをセンシティブに描く須川まきこ待望の画集！〝まるで わたしは つくりものの 人形〟

■主な出版物　　詳細・通販→http://www.a-third.com/（内容見本もご覧いただけます）

◎ExtrART（エクストラート）〜異端派ヴィジュアルアート誌

file.30◎FEATURE：揺らぐ心象の迷宮
A4判・112頁・並装・1200円（税別）・ISBN978-4-88375-452-6
●宮本香那、ÔБ、川上勉、高松潤一郎、田中流、大山菜々子、塩野ひとみ、かつまたひでゆき、Ma marumaru、シン・ニッポン風土記 ほか

file.29◎FEATURE：見る／見えることの異相
A4判・112頁・並装・1200円（税別）・ISBN978-4-88375-442-7
●金巻芳俊、倉崎稜希、泥方陽菜、山村まゆ子、根橋洋一、平良志季、畫正、吉田有花、高齊りゅう、奥村あか、須川まきこ ほか

file.28◎FEATURE：少女への夢想曲
A4判・112頁・並装・1200円（税別）・ISBN978-4-88375-436-6
●イヂチアキコ、くるはらきみ、九鬼匡規、鈴木那奈、傘嶋メグ、蕾／pick up＝吉岡里奈、中尾変、吉田和夏、清水真理、田中流、林美登利

file.27◎FEATURE：死を想い、生を描く
A4判・112頁・並装・1200円（税別）・ISBN978-4-88375-430-4
●亀井三千代、伊東明日香、村上仁美、ある紗、田中童夏、キジメッカ、多賀新、東學、山本竜基、髙瀬実穂子、北見隆、後藤麦×今大路智枝子

file.26◎FEATURE：リアルを紡ぎ出す
A4判・112頁・並装・1200円（税別）・ISBN978-4-88375-417-5
●戸泉恵徳、建石修志、山中綾子、田川弘、中島綾美、吉田有花×宮崎まゆ子×きゃらあい、蠅田式、四学科松太、寺澤智恵子ほか

file.25◎FEATURE：ヒトガタは語る
A4判・112頁・並装・1200円（税別）・ISBN978-4-88375-408-3
●三浦悦子、Mekkedori、ヒロタサトミ、垂狐、田野敦司、日隈愛香、横倉裕司、羅入、成田朱希、サワダモコ、山本有彩、塙興子ほか

file.24◎FEATURE：幽玄を垣間見る
A4判・112頁・並装・1200円（税別）・ISBN978-4-88375-395-6
●上田風子、高田美苗、濱口真央、奥田鉄、土田圭介、南花奈、白野有、武田海、村山大明、日影眩、神宮字光、黒木こずゑ×最合のぼる

file.23◎FEATURE：秘めた、この思い
A4判・112頁・並装・1200円（税別）・ISBN978-4-88375-385-7
●池田ひかる、新宅和音、谷原菜摘子、野原tamago、井桁裕子、朱華、日野まき、菊地拓史・森馨、田中流、渡邊光也、千葉和成、TOKYO 2021 美術展

file.22◎FEATURE：隠されていた"美"
A4判・112頁・並装・1200円（税別）・ISBN978-4-88375-372-7
●蛭田美保子、スズキエイミ、椎木かなえ、たま、Kamerian.、ディナ・ブロツキー、井上洋介、生熊奈央、衣（はとり）、垂狐、ベルリン・悪魔の山 ほか

file.21◎FEATURE：うつろう、イメージ
A4判・112頁・並装・1200円（税別）・ISBN978-4-88375-360-4
●菅澤薫、大河原愛、有坂ゆかり、大塚咲×七菜乃、夜乃雛月、ニコライ・バタコフ、亜由美、櫻井紅子、吉田有花×ある紗、大島哲以 ほか

file.20◎FEATURE：夢幻の国を逍遥する
A4判・112頁・並装・1200円（税別）・ISBN978-4-88375-346-8
●佐久間友香、木村了子、中村キク、永井健一、長谷川友美、P.ファーガソン、池島康輔、須川まきこ、立島夕子、こやまけんいち、松下まり子 ほか

file.19◎FEATURE：その存在の、ミステリアス
A4判・112頁・並装・1200円（税別）・ISBN978-4-88375-338-3
●藤井健仁、棚田康司、モリケンイチ、後藤温子、中井結、トロイ・ブルックス、ホシノリコ、新竹季次、中川ユウキチ、宮本香那、江村玲 ほか

file.18◎FEATURE：イノセンスが見る夢
A4判・112頁・並装・1200円（税別）・ISBN978-4-88375-323-9
●美島菊名、Risa Mehmet、泥方陽菜、雨宮沙月、月夜乃散歩、ローズ・フレイマス-フレイザー、松永賢、勝野眞言、高松ヨク ほか

◎トーキングヘッズ叢書（TH Seires）

No.88 少女少年主義〜永遠の幼な心
A5判・224頁・並装・1389円（税別）・ISBN978-4-88375-456-4
●永遠を夢見る少女、少年の魂は、時代や性差、生死をも超える―［図版構成］たま、須川まきこ、戸田和子、パメラ・ビアンコ、村田兼一、甲秀樹他／「恐るべき子供たち」などに見る少年少女たちの死と再生、少女主義者たちの文学、「不思議の国のアリス」の姉をめぐって、庵野秀明と宮崎駿、『紅楼夢』、鷗外と芥川のヴィタ・セクスアリス他

No.87 はだかモード〜はだける、素になる文化論
A5判・208頁・並装・1389円（税別）・ISBN978-4-88375-444-1
●タブー視されてきた「はだか」、そして「はだけること」をめぐる文化の諸相。珠かな子、七菜乃、彫師・SHIGEインタビュー、人はなぜ裸という無垢を捨てたか、黒田清輝と裸体画論争、偏愛のヌーディズム、絵本『すっぽんぽんのすけ』、映画におけるヌード表現史、バタイユとクロソウスキー、銭湯・温泉主義者たちの裸のユートピア他

No.86 不死者たちの憂鬱
A5判・224頁・並装・1389円（税別）・ISBN978-4-88375-439-7
●不死は幸福か？苦しみか？――『ポーの一族』、ヴァンパイアと浦島太郎、『ガリヴァー旅行記』、『火の鳥』からヒーラ細胞へ、クレア・ノースの孤独、ドリアン・グレイ、韓国SF、不老不死になれる（かもしれない）秘薬・霊薬・仙薬、荒川修作、不老不死を生きる童話世界の住民、サザエさんシステム、20年代まんが試論、不死の怪物プルガサリ他

No.85 目と眼差しのオブセッション
A5判・208頁・並装・1389円（税別）・ISBN978-4-88375-433-5
●窃視、邪視から千里眼、眼球まで、オブセッションの数々! 図版構成/泥方陽菜・神宮字光・下田ひかり、邪視にまつわる民俗史、眼球考〜ルドンの絵から、映画から考えた覗き見の功罪、「屋根裏の散歩者」の愉悦、法医学オプトグラフィー、千里眼事件、『ジャガーの眼』を通して唐十郎が寺山修司に捧げたもの、panpanyaが「見る」世界 ほか

No.84 悪の方程式〜善を疑え!!
A5判・224頁・並装・1389円（税別）・ISBN978-4-88375-421-2
●「悪」を意識することは、この世の「善」に対して疑いを差し挟むことだ――ダークナイト・トリロジーにみる悪の本質、〈アート〉と〈革命〉は常に悪である〜テロ的アートの系譜、「黒い幽霊団（ブラック・ゴースト）」には悪意がない、警官を蹴るチャップリン、悪いヤツはだいたいイケメン〜少女漫画におけるモラルとエロス、娼婦と聖性ほか満載!

No.83 音楽、なんてストレンジな!
A5判・224頁・並装・1389円（税別）・ISBN978-4-88375-412-0
●音楽は文化の結節点だ。パンクや電子音楽、ノイズなどから、クラシックまで、音楽をめぐる、少々ストレンジなイマジネーション! 恍惚のアヴァンギャルド音楽偏愛史、パンクとポストパンクの思想的地下水脈、イスラムにおける音楽、近代日本の音楽の闇、ワーグナーの共苦と革命、バッハのもとに本当にニシンは降ったのか ほか

No.82 もの病みのヴィジョン
A5判・224頁・並装・1389円（税別）・ISBN978-4-88375-402-1
●「病み」＝「闇」のヴィジョン。人形作家・与偶トークイベントレポ、梅毒をめぐる幾つかの逸話と謎、舞踏病と死の舞踏、「吸血鬼ノスフェラトゥ」とペストのパンデミック、草間彌生の小説『すみれ強迫』、美人薄命の文化史、病と日本人、舞踊家・土方巽の〈病み〉、澁澤龍彥と病、病弱な少年、「ジョーカー」、「ベニスに死す」ほか

No.81 野生のミラクル
A5判・208頁・並装・1389円（税別）・ISBN978-4-88375-389-5
●野生からわれわれは何を学び、何を表現の糧にしてきたか。ケロッピー前田インタビュー〜野生を取り戻してテクノロジーを乗りこなせ、管理された野生、粘菌、牧神、人豚、八化けタヌキ、シュルレアリスムのアフリカ、スクリーンの変身人間、キム・ギヨンが描く〝オス〟と〝メス〟、異類婚姻譚、動物フォークロア、映画『ZOO』ほか

アトリエサードの出版物の購入のしかた・通信販売のご案内

●アトリエサードの出版物が書店店頭にない場合は、書店へご注文下さい（発売＝書苑新社と指定して下さい。全国の書店からOK）。
●Amazonなどネット書店もご活用下さい。

●出版物の詳細はサイト http://www.a-third.com/ へ！ ネット通販でもご購入できます。
■各書籍の詳細画面でショッピングカートがご利用になれます。■郵便振替 / 代金引換 / PayPal で決済可能。

■インターネットをご利用になれない方は、郵便局より郵便振替にて直接ご送金いただいても結構です（ここに掲載している値段は税別なので、必ず消費税を加算して下さい。送料は不要。また連絡欄に希望書名・冊数を明記のこと）。入金の通知が届き次第、発送します（お手元に届くまで、だいたい5〜10日ほどお待ち下さい）。振込口座／00160－8－728019　加入者名／有限会社アトリエサード
■また TEL.03-6304-1638 にお電話いただければ、代金引換での発送も可能です（取扱手数料350円が別途かかります）

出版物一覧
アトリエサードHP
AMAZON（書苑新社発売の本）